Inmune a la distracción

Nir Eyal con Julie Li
Inmune a la distracción

Traducción de Gema Moraleda

𝍏 PAIDÓS.

Obra editada en colaboración con Editorial Planeta - España

Título original: *Indistractable: How to Control Your Attention and Choose Your Life*

© Nir Eyal, 2019

© de la traducción del inglés, Gema Moraleda Díaz, 2025
Realización Planeta - fotocomposición

© 2025, Edicions 62, S.A. – Barcelona, España

Derechos reservados

© 2025, Ediciones Culturales Paidós, S.A. de C.V.
Bajo el sello editorial PAIDÓS M.R.
Avenida Presidente Masaryk núm. 111,
Piso 2, Polanco V Sección, Miguel Hidalgo
C.P. 11560, Ciudad de México
www.planetadelibros.com.mx
www.paidos.com.mx

Primera edición impresa en España: julio de 2025
ISBN: 978-84-1100-393-3

Primera edición impresa en México: octubre de 2025
ISBN: 978-607-639-089-4

Impreso en los talleres de Litográfica Ingramex, S.A. de C.V.
Centeno núm. 162-1, colonia Granjas Esmeralda, Ciudad de México
Impreso en México – *Printed in Mexico*

Para Jasmine

Recomendación importante

Antes de empezar a leer, asegúrate de descargar el material adicional de mi página web (disponible solamente en inglés). En ella encontrarás recursos, archivos descargables y las actualizaciones más recientes, todo de forma gratuita:

NirAndFar.com/Indistractable

Además, quiero que sepas que no tengo intereses económicos en ninguna de las empresas que menciono, a menos que lo explicite, y que mis recomendaciones no están influidas por ningún anunciante.

Si quieres ponerte en contacto conmigo personalmente, puedes hacerlo a través de mi blog en <NirAndFar.com/Contact>.

Índice

PRIMERA PARTE
DOMINA LOS DISPARADORES INTERNOS

Séptima parte
CÓMO TENER RELACIONES INMUNES
A LA DISTRACCIÓN

INTRODUCCIÓN

De *Hooked* a *Inmune a la distracción*

Hay un libro de color amarillo que suele estar en las oficinas de la mayoría de las empresas tecnológicas. Lo he visto en Facebook, Google, PayPal y Slack. Es un regalo habitual en congresos y formaciones. Un amigo que trabaja en Microsoft me contó que su director ejecutivo, Satya Nadella, mostró un ejemplar y se lo recomendó a todos los empleados de la empresa.

El libro en cuestión, *Hooked: How to Build Habit-Forming Products* [Enganchado: cómo crear productos que generen hábito], apareció en la lista de los más vendidos de *The Wall Street Journal*[1] y, en el momento de escribir estas líneas, sigue encabezando la de la categoría «Diseño de productos» de Amazon (en inglés). Es como un libro de recetas. En concreto, contiene la del comportamiento humano, el tuyo. Esas empresas tecnológicas saben que, para ganar dinero, necesitan que acudamos a ellas una y otra vez: sus modelos de negocio dependen de ello.

Lo sé porque he dedicado la última década a investigar las estrategias psicológicas ocultas que emplean algunas de las empresas más exitosas del mundo para que sus productos resulten tan atractivos. Durante años, di clase a futuros ejecutivos en la Escuela de Negocios de Stanford y en el Instituto de Diseño Hasso Plattner.

Escribí *Hooked* con la esperanza de que *start-ups* y empresas comprometidas con la responsabilidad social aplicaran este conocimiento para diseñar nuevas formas de ayudar a la gente a desarrollar mejores hábitos. ¿Por qué iban a querer los gigantes tecnológicos esconder esa información? ¿No deberíamos usar las mismas estrategias psicológicas que hacen tan adictivos los videojuegos y las redes sociales para diseñar productos que ayuden a la gente a mejorar su vida?

Desde que se publicó *Hooked*, miles de empresas han usado el libro para empoderar a sus usuarios para que desarrollen hábitos útiles y saludables. Fitbod es una aplicación de *fitness* que ayuda a las gente a crear mejores rutinas de ejercicio. Byte Foods pretende cambiar los hábitos de alimentación de las personas mediante máquinas expendedoras conectadas a internet que ofrecen comida elaborada con productos frescos de proximidad. Kahoot! desarrolla programas informáticos para que el aprendizaje en las aulas sea más participativo y divertido.*

Queremos que nuestros productos sean agradables para los usuarios, que sea fácil navegar por ellos y, sí, también, que generen un hábito. Que las empresas logren que sus productos capten más nuestra atención no es necesariamente un problema: es progreso.

Pero esto también tiene un lado oscuro. Como escribió el filósofo Paul Virilio: «Al inventar el barco, inventas tam-

---

* Me gustó tanto la aplicación que hicieron Kahoot! y Byte Foods de mi libro que decidí invertir en ambas empresas.

bién el naufragio».[2] En el caso de los productos y servicios agradables para los usuarios, lo que capta nuestra atención del producto y lo convierte en fácil de usar también hace que nos distraiga.

A muchos, estas distracciones se nos van de las manos y nos dejan con la sensación de que hemos perdido el control de nuestras decisiones. La realidad es que, hoy en día, si no tienes las herramientas necesarias para lidiar con las distracciones, estas manipulan tu cerebro y te hacen perder el tiempo.

En las páginas que siguen, te explicaré mis problemas con las distracciones y cómo acabé enganchado (qué ironía). Pero también voy a contarte cómo superé esos problemas y por qué tenemos más poder que cualquier gigante tecnológico. Como conocedor de la industria, sé cuál es su talón de Aquiles, y pronto lo sabrás tú también.

La buena noticia es que tenemos la capacidad única de adaptarnos a esas amenazas. Podemos tomar medidas inmediatas para recuperar nuestro cerebro. Porque, lisa y llanamente, tampoco tenemos otra opción. No podemos depender de que los reguladores actúen, y te recomiendo que esperes sentado o sentada a que las grandes empresas hagan productos que nos distraigan menos.

En el futuro habrá dos tipos de personas en el mundo: las que permitan que sean otros quienes controlen y coarten su atención y sus vidas, y las que puedan definirse con orgullo como «inmunes a la distracción». Al abrir este libro, has dado el primer paso para tomar las riendas de tu tiempo y tu futuro.

Pero esto es solo el principio. Durante años, te han condicionado para esperar la gratificación instantánea. Plantéate leer *Inmune a la distracción* hasta el final como un reto personal para liberar tu mente.

El antídoto para la impulsividad es la planificación. Tener un plan te asegura seguirlo. Con las técnicas de este libro, aprenderás qué hacer exactamente de ahora en adelante para controlar tu atención y elegir cómo quieres vivir.

1

¿Cuál es tu superpoder?

Me encanta el dulce, me encantan las redes sociales y me encanta la tele. Sin embargo, el amor que siento por estas cosas no es recíproco. Rematar una comida copiosa con algo dulce, pasar demasiado tiempo deslizando el dedo por la pantalla o ver un capítulo tras otro de una serie de Netflix hasta las dos de la madrugada son cosas que antes hacía casi de manera inconsciente, por costumbre.

Y del mismo modo que abusar de la comida basura acaba causando problemas de salud, el abuso de los dispositivos también puede tener consecuencias negativas. En mi caso, fue que priorizaba las distracciones frente a las personas más importantes de mi vida. Lo peor es lo que permití que le hicieran a la relación con mi hija. Es hija única y, para mi esposa y para mí, es la niña más increíble del mundo.

Un día, estábamos jugando a unos juegos sacados de un libro de actividades diseñado para promover el vínculo entre padres e hijas. La primera actividad consistía en decir las cosas favoritas de la otra persona. La segunda, en hacer un avión de papel con una de las páginas. La tercera era una pregunta que ambos debíamos responder: «Si pudieras tener cualquier superpoder, ¿cuál elegirías?».

Ojalá pudiera decirte qué respondió mi hija en ese momento, pero no puedo. No tengo ni idea porque no estaba realmente allí. Físicamente, sí, pero tenía la mente en otro sitio.

—Papi —me dijo—, ¿cuál sería tu superpoder?

—¿Eh? —gruñí—. Un segundito, que tengo que contestar a una cosa.

Pasé de ella y me puse con el teléfono. Tenía los ojos pegados a la pantalla, y mis dedos tecleaban algo que me pareció importante en el momento, pero que sin duda podía esperar. Ella guardó silencio. Cuando levanté la vista, se había ido.

Me había cargado un momento mágico con mi hija porque algo del teléfono había captado toda mi atención. Por sí solo, no es nada del otro mundo. Pero mentiría si dijera que fue un incidente aislado. Esta misma escena había sucedido innumerables veces.

Y no era el único que estaba anteponiendo las distracciones a las personas. Uno de los primeros lectores de este libro me dijo que cuando le preguntó a su hija de ocho años qué superpoder le gustaría tener, ella respondió que hablar con los animales. Cuando le preguntó por qué, la niña respondió: «Para tener alguien con quien hablar cuando mamá y tú estáis muy ocupados trabajando en el ordenador».

Después de ir a buscar a mi hija y pedirle perdón, decidí que había llegado el momento de cambiar. Al principio, me fui al otro extremo. Convencido de que la culpa era de la tecnología, intenté hacer un «*detox* digital». Empecé a usar un teléfono antiguo para no tener la tentación de consultar el correo electrónico, Instagram y X. Pero vi que me resultaba muy complicado moverme sin el GPS y las direcciones que tenía guardadas en mi aplicación del calendario. Echaba de menos escuchar audiolibros cuando iba a pie a los sitios, así como el resto de las cosas prácticas que hacía mi *smartphone*.

Para evitar perder el tiempo leyendo demasiados artículos en línea, me suscribí a la edición impresa de un periódico. Unas semanas después, tenía una ordenada pila de periódicos sin leer al lado del sillón donde me siento a ver las noticias.

En un intento por concentrarme en la escritura, me compré un procesador de texto de los años noventa, sin conexión a internet. Sin embargo, cada vez que me sentaba a escribir, acababa mirando de reojo la estantería y, en cuestión de minutos, estaba hojeando libros que nada tenían que ver con mi trabajo. De un modo u otro, seguía distrayéndome, incluso sin tener a mano la tecnología que consideraba la fuente del problema.

Eliminar la tecnología en línea no funcionó.
Solo sustituí una distracción por otra.

Descubrí que vivir la vida que queremos no solo nos exige hacer lo «correcto», sino también dejar de hacer las cosas incorrectas que nos llevan a descarrilar. Todos sabemos que comerse un pastel es peor para guardar la línea que tomar una ensalada saludable. Estamos de acuerdo en que consultar las redes sociales sin ningún propósito no es tan enriquecedor como quedar con amistades reales en el mundo real. En-

tendemos que, si queremos ser más productivos en el trabajo, tenemos que dejar de perder el tiempo y ponernos manos
a la obra. Todo eso lo sabemos. Lo que no sabemos es cómo
dejar de distraernos.

Tras investigar y escribir este libro a lo largo de los últimos cinco años, y aplicar los métodos sustentados en el conocimiento científico que estás a punto de aprender, soy más
productivo, más fuerte física y mentalmente, descanso mejor
y tengo unas relaciones más plenas que nunca. Este libro
trata sobre lo que aprendí mientras desarrollaba la habilidad
más importante para el siglo XXI. Trata sobre cómo me con-
vertí en inmune a la distracción y sobre cómo tú también
puedes hacerlo.

El primer paso es reconocer que las distracciones empiezan
en el interior. En la primera parte aprenderás a identificar y
gestionar de forma práctica la incomodidad psicológica que
nos hace descarrilar. Sin embargo, me he abstenido de reco-
mendar técnicas muy conocidas como el *mindfulness* y la meditación. Aunque esos métodos pueden ser eficaces para algunas personas, se ha escrito sobre ellos hasta la saciedad. Si
estás leyendo este libro, apuesto a que ya los has probado y,
como me pasó a mí, no te han acabado de funcionar. En lugar
de eso, abordaremos con una nueva perspectiva qué es lo que
de verdad motiva nuestro comportamiento, y aprenderemos
por qué la gestión del tiempo es en realidad la gestión del
dolor. También exploraremos cómo hacer que casi cualquier
tarea sea disfrutable, no añadiendo «un poco de azúcar»,
como cantaba Mary Poppins, sino cultivando la habilidad de
concentrarnos intensamente en lo que estemos haciendo.

En la segunda parte abordaremos la importancia de reservar tiempo para hacer lo que de verdad queremos hacer. Aprenderás por qué no puedes decir que algo es una «distracción» a menos que sepas de qué te está distrayendo. Aprenderás a planificar el tiempo con un propósito, incluso si decides que vas a dedicarte a deslizar el dedo por una larga lista de titulares amarillistas sobre famosos o a leer una novela romántica subidita de tono. Al fin y al cabo, el tiempo que decides perder no es tiempo perdido.[1]

A continuación, en la tercera parte, examinaremos sin restricciones los disparadores externos no deseados que se interponen en nuestra productividad y reducen nuestro bienestar. Aunque las empresas tecnológicas emplean condicionantes como los timbres y pitidos de nuestros móviles para interferir en nuestro comportamiento, nuestros dispositivos no son los únicos disparadores externos. Están por todas partes, desde las galletas que nos saludan cuando abrimos el armario de la cocina hasta el compañero de trabajo charlatán que nos impide acabar un proyecto para el que tenemos un plazo ajustado.

En la cuarta parte encontramos la clave para ser inmunes a la distracción: los compromisos. Aunque eliminar los disparadores es útil para mantener a raya las distracciones, se ha demostrado que establecer compromisos nos permite recuperar las riendas, y garantiza que hagamos lo que hemos dicho que haríamos. En esta parte, aplicaremos la antigua práctica del compromiso previo a las dificultades modernas.

Por último, revisaremos a fondo cómo hacer que tu lugar de trabajo sea inmune a la distracción, cómo criar a tus hijos para que también lo sean y cómo lograr que tus relaciones puedan igualmente definirse mediante ese término. Estos últimos capítulos te mostrarán cómo recuperar la productividad perdida en el trabajo, a tener relaciones más satisfactorias con tus amigos y familiares e, incluso, cómo ser mejor amante, todo ello subyugando las distracciones.

Te animo a avanzar por los cuatro pasos para convertirte en inmune a la distracción de la manera que prefieras, pero te recomiendo que abordes las partes en orden, de la primera a la cuarta. Las cuatro modalidades se construyen unas sobre otras, y la primera son los cimientos.

Si te gusta aprender mediante ejemplos, y antes de nada quieres ver estas tácticas en acción, no dudes en empezar por la quinta parte y seguir hacia delante para luego retroceder a las cuatro primeras y obtener una explicación más a fondo. Además, no es necesario que adoptes todas y cada una de las técnicas desde el principio. Algunas quizá no encajen con tu situación actual y solo te resultarán útiles en el futuro, cuando llegue el momento adecuado para ti o tus circunstancias cambien. Pero te prometo que, al acabar el libro, habrás hecho varios descubrimientos que cambiarán para siempre tu forma de gestionar las distracciones.

Imagina el increíble poder que te conferiría cumplir con tus propósitos. ¿Cuánto aumentaría tu eficacia en el trabajo? ¿Cuánto tiempo más podrías pasar con tu familia o haciendo lo que te gusta? ¿Cuánto incrementaría tu felicidad?

¿Cómo sería tu vida si tu superpoder fuera ser inmune a la distracción?

RECUERDA

- **Tenemos que aprender a evitar las distracciones.** Para vivir la vida que queremos no solo tenemos que hacer las cosas que hay que hacer sino dejar de hacer las cosas de las que nos arrepentiremos.
- **El problema va más allá de la tecnología.** Ser inmune a la distracción no implica ser un ludita, sino entender los motivos reales que nos empujan a actuar en contra de nuestros intereses.
- **Lo que necesitas es esto:** podemos ser inmunes a la distracción si aprendemos y adoptamos cuatro estrategias claves.

2

Ser inmune a la distracción

Los antiguos griegos inmortalizaron la historia de un hombre perpetuamente distraído. Cuando decimos que algo es el suplicio de Tántalo, nos referimos a él. Cuenta el mito que Tántalo fue enviado al inframundo por su padre, Zeus, como castigo.[1] Allí se halló caminando por el agua de un estanque mientras un árbol cargado de fruta madura inclinaba sus ramas por encima de su cabeza. La maldición parecía leve, pero, cuando Tántalo intentaba agarrar un fruto, la rama se alejaba de él hasta quedar justo fuera de su alcance. Cuando se inclinaba para beber agua, esta retrocedía, de forma que nunca lograba saciar su sed. El castigo de Tántalo era anhelar lo que nunca podría tener.

Hay que reconocer que los griegos sabían hacer alegorías. Es difícil retratar mejor la condición humana. Siempre andamos en busca de algo: más dinero, más experiencias, más conocimiento, más estatus, más cosas. Los antiguos griegos creían que esto formaba parte de la maldición de ser mortales falibles y emplearon esta historia para mostrar el poder de nuestros incesantes deseos.

La maldición de Tántalo: intentar alcanzar algo eternamente.[1]

Tracción y distracción

Imagina una línea que representa el valor de todo lo que haces a lo largo del día. A la derecha, las acciones son positivas; a la izquierda, negativas.

A la derecha del continuo se encuentra la tracción, que proviene del latín *trahere*, que significa «atraer o tirar de». Podemos imaginar la tracción como las acciones que tiran de nosotros hacia lo que queremos en la vida. A la izquierda está la distracción, que es lo contrario de la tracción. Derivada de la misma raíz latina,[2] esta palabra significa «apartarse de la mente». Las distracciones nos impiden progresar hacia la vida que imaginamos. Todos los comportamientos, ya sean de tracción o de distracción, se activan mediante disparadores, internos o externos.

DISTRACCIÓN   TRACCIÓN

ACCIÓN

Acciones que   Acciones que
nos **alejan** de lo que   nos **acercan** a lo que
de verdad queremos   de verdad queremos

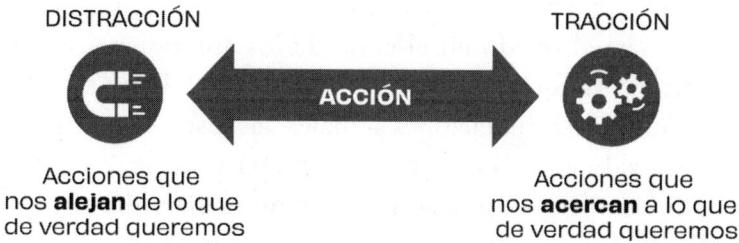

Los disparadores internos surgen del interior. Cuando nos ruge el estómago, buscamos algo para picar. Cuando tenemos frío, nos abrigamos para entrar en calor. Y cuando estamos tristes, nos sentimos solos o estresados, llamamos a un amigo o a un ser querido para que nos consuele.

Por otro lado, los disparadores externos son señales de nuestro entorno que nos dictan qué hacer a continuación, como los timbres, campanillas y pitidos que nos hacen consultar el correo electrónico, las notificaciones o responder a una llamada. Los disparadores externos también pueden tomar la forma de otras personas, como los compañeros de trabajo que se paran en nuestra mesa. Y también pueden ser objetos, como un televisor, cuya mera presencia nos insta a encenderlo.

Ya sean resultado de disparadores internos o externos, las acciones pueden estar alineadas con nuestra intención general (tracción) o no (distracción). La tracción nos ayuda a alcanzar metas; la distracción nos aleja de ellas.

El reto, claro está, reside en que nuestro mundo siempre ha estado lleno de cosas diseñadas para distraernos. Hoy en día, las personas sienten apego por sus móviles, que no son más que el último posible obstáculo. La gente se ha quejado del poder que tiene la televisión para fundirte el cerebro desde sus orígenes.[3] Antes de eso, fueron el teléfono, los cómics y la radio. Incluso se culpó a la palabra escrita de generar «tendencia al olvido en el alma de los aprendices», según Sócrates.[4] Aunque algunas de estas cosas palidecen en comparación con las tentaciones actuales, las distracciones siempre han sido y serán una realidad en nuestra vida.

Sin embargo, las distracciones de hoy en día parecen distintas. La cantidad de información disponible, la velocidad a la que se distribuye y la ubicuidad del acceso a nuevo contenido en nuestros dispositivos ha dado lugar a la tripleta de la distracción. Si lo que quieres es distraerte, nunca ha sido más fácil.

¿Y qué coste tiene esto? En 1971, el psicólogo Herbert A. Simon escribió con gran clarividencia: «La abundancia de información implica la escasez de otra cosa [...] una pobreza de atención».[5] Los investigadores nos dicen que la atención y la concentración son las materias primas de la creatividad y la prosperidad.[6] En una época de creciente automatización, los trabajos más buscados son los que requieren capacidades para la resolución creativa de problemas, soluciones novedosas y ese ingenio humano que nace de concentrarse a fondo en la tarea que nos ocupa.

Socialmente, sabemos que las amistades íntimas son la base de nuestra salud física y psicológica. Según los investigadores, la soledad es más peligrosa que la obesidad.[7] Pero, claro está, no podemos cultivar amistades íntimas si no paramos de distraernos.

Piensa en los niños. ¿Cómo pueden prosperar si no se concentran lo suficiente para aplicarse? ¿Qué ejemplo les damos si, en lugar de mirarlos con cariño, les mostramos constantemente la coronilla porque estamos pendientes de una pantalla?

Domina los
DISPARADORES INTERNOS

Evita las
DISTRACCIONES
mediante
compromisos

Reserva tiempo
para la
TRACCIÓN

Manipula a tu favor los
DISPARADORES EXTERNOS

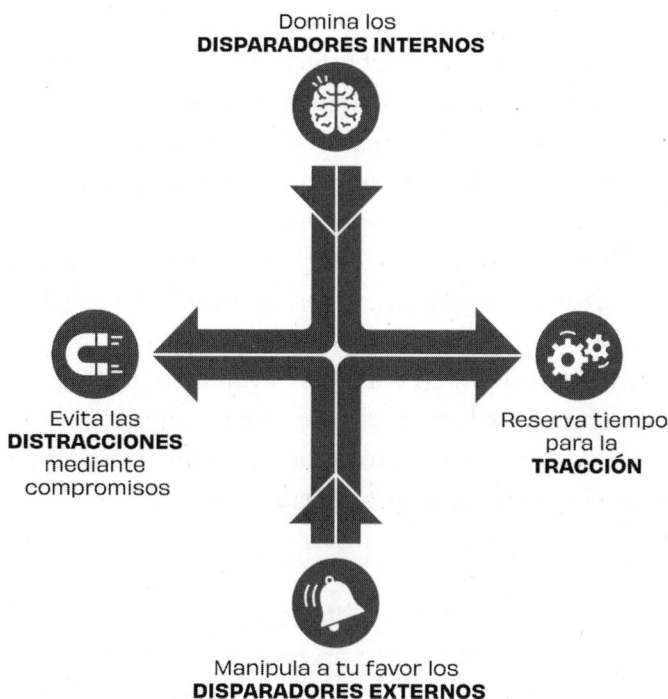

Volvamos al mito de Tántalo. ¿En qué consistía exactamente su maldición? ¿En tener siempre hambre y sed? En realidad, no. ¿Qué le habría pasado a Tántalo si hubiera dejado de intentar alcanzar lo que quería? Al fin y al cabo, ya estaba en el infierno, y, por lo que tengo entendido, los muertos no necesitan ni comer ni beber.

La maldición no es que Tántalo deba pasar toda la eternidad estirándose para llegar a cosas que nunca podrá tocar, sino que ignora por completo la estupidez de sus actos. El suplicio de Tántalo es su ceguera ante el hecho de que no necesitaba esas cosas. Esa es la auténtica moraleja de la historia.

Y la maldición de Tántalo es también la nuestra. Nos sentimos empujados a intentar alcanzar cosas que supuestamente necesitamos, pero en realidad, no. No tienes que consultar el correo electrónico ahora mismo, ni necesitas estar al día de la actualidad informativa, por mucho que creas que deberías.

Por suerte, a diferencia de Tántalo, podemos alejarnos un poco de nuestros deseos, reconocer qué son y hacer algo al respecto. Queremos que las empresas innoven y cubran nuestras necesidades, en constante evolución, pero también debemos preguntarnos si esos productos mejores sacan lo mejor de nosotros. Las distracciones siempre existirán; gestionarlas es nuestra responsabilidad.

Ser inmune a la distracción consiste
en esforzarse en hacer lo que
hemos dicho que haríamos.

Las personas inmunes a la distracción son sinceras consigo mismas y con los demás. Si te importan tu trabajo, tu familia y tu bienestar físico y mental, debes aprender a ser inmune a la distracción. El modelo inmune a la distracción en cuatro pasos es una herramienta para ver e interactuar con el mundo de una forma nueva. Te servirá de mapa para controlar tu atención y elegir tu vida.

RECUERDA

- **La distracción te frena a la hora de alcanzar tus metas.** Es cualquier acción que te aleja de lo que de verdad quieres.
- **La tracción te acerca a tus objetivos.** Es cualquier acción que te aproxima a lo que de verdad quieres.
- **Los disparadores activan tanto la tracción como la distracción.** Los disparadores externos te empujan a actuar mediante elementos de tu entorno. Los disparadores internos te empujan a actuar mediante elementos de tu interior.

EL MODELO INMUNE A LA DISTRACCIÓN

DISPARADORES INTERNOS

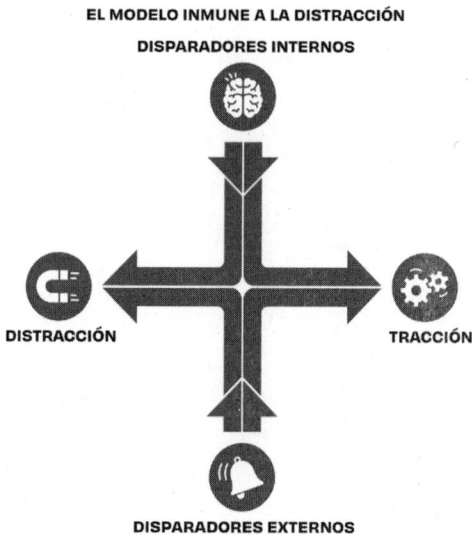

DISTRACCIÓN   TRACCIÓN

DISPARADORES EXTERNOS

Estos cuatro pasos son tu guía para volverte inmune a la distracción.

Primera parte

DOMINA LOS DISPARADORES INTERNOS

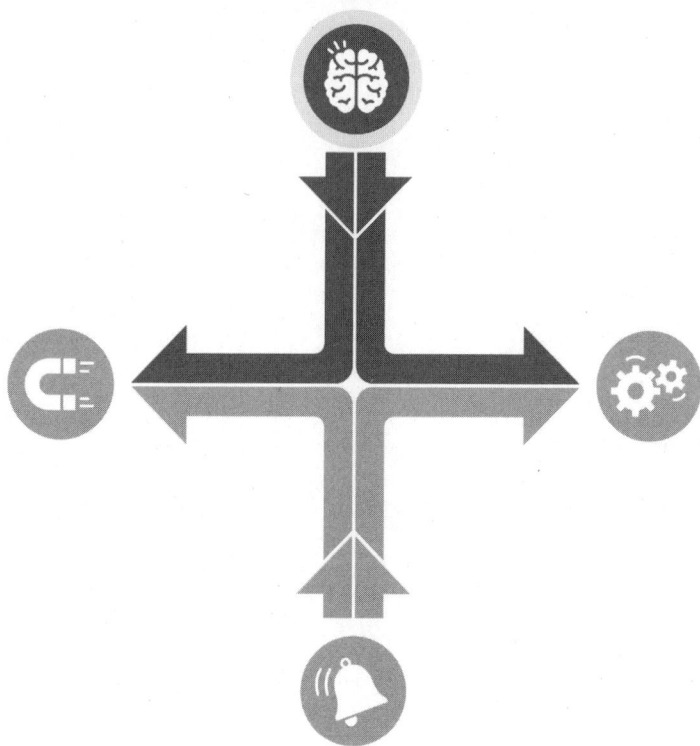

Domina los
DISPARADORES INTERNOS

3

¿Qué nos motiva en realidad?

Zoë Chance, profesora de la Escuela de Negocios de Yale y doctora por Harvard, hizo una confesión sorprendente al nutrido público de una charla TEDx: «Hoy he venido a sincerarme y a contar por primera vez esta historia con toda su crudeza y desagradables detalles. En marzo de 2012..., compré un dispositivo que me arruinaría la vida poco a poco».[1]

En Yale, Chance enseñaba a los futuros ejecutivos los secretos para cambiar el comportamiento de los consumidores. A pesar del título de su asignatura, «Dominar la influencia y la persuasión», la confesión de Chance revelaba que ella misma no era inmune a la manipulación. Lo que empezó como un proyecto de investigación se convirtió en una compulsión estúpida.

Chance dio con un producto que ponía en práctica muchas de las técnicas persuasivas que ella enseñaba en clase. «No parábamos de decir: "Oh, esto es brillante. Estos tipos son unos genios. Han usado todas las herramientas de motivación que se les han ocurrido"», me cuenta.[2]

Como es lógico, Chance tenía que probarlo personalmente y se ofreció como el primer conejillo de Indias del experimento para su investigación. No esperaba que el producto acabara manipulando su mente y su cuerpo. «De verdad, de verdad, juro que no podía parar, y tardé mucho en comprender que tenía un problema», confiesa ahora.

Es fácil entender por qué Chance negó la realidad durante tanto tiempo. El producto al que se hizo adicta no era una droga ilegal ni un medicamento, sino un podómetro. En concreto, el Striiv Smart Pedometer, creado por una *start-up* de Silicon Valley fundada un año antes. Chance explica enseguida que el Striiv no era un podómetro común y corriente. «Lo venden como un "entrenador personal de bolsillo" —dice—. ¡Qué va! ¡Lo que es es un demonio de bolsillo!»

Como empresa fundada por exdiseñadores de videojuegos, Striiv emplea tácticas de diseño conductual para empujar a sus clientes a ser más activos físicamente. Los usuarios de su podómetro reciben retos en forma de tareas que les dan puntos por caminar. Pueden competir con otros jugadores y ver su posición en clasificaciones que se presentan como los resultados de un torneo. La empresa también vincula el contador de pasos con una aplicación para *smartphone* llamada MyLand, donde los jugadores pueden canjear puntos para construir mundos virtuales en línea.

Está claro que estos trucos embrujaron a Chance. De hecho, notó que no dejaba de caminar en todo el día para seguir acumulando pasos y puntos. «Llegaba a casa y, mientras comía, o leía, o leía y comía al mismo tiempo, o mientras mi marido intentaba hablar conmigo, yo hacía un circuito del salón a la cocina, de la cocina al comedor, del comedor al salón y vuelta a empezar.»

Por desgracia, tanto andar, muy a menudo en círculos, empezó a pasarle factura. Tenía menos tiempo para su familia y amigos. «La única persona con quien estaba estrechando lazos —reconoce— era mi compañero de trabajo Ernest, que también tenía un Striiv, así que nos poníamos retos y competíamos.»

Chance se obsesionó. «Hacía hojas de cálculo para llevar la cuenta y optimizar, no mi ejercicio físico, sino mis transacciones en un mundo virtual que existía en un dispositivo Striiv.» Su obsesión no solo estaba robando tiempo a su trabajo y a otras prioridades, sino que también comenzó a causarle daño físico. «Cuando usaba el Striiv, daba 24.000 pasos al día. Calcula.»

Chance recuerda que, al final de un día en concreto, recibió una tentadora oferta de su Striiv. «Era medianoche, me estaba lavando los dientes y preparándome para acostarme cuando me saltó una notificación de un reto. Decía: "¡Obtén el triple de puntos solo por subir veinte escalones!".» Chance enseguida se dio cuenta de que podía completar ese reto en un minuto subiendo y bajando la escalera del sótano dos veces. Después de completarlo, recibió otro mensaje que la animaba a subir cuarenta escalones para volver a conseguir el triple de puntos. Pensó: «¡Pues claro que sí! ¡Es una buena oferta!», y rápidamente subió la escalera cuatro veces más.

El incesante caminar no acabó ahí. Durante las dos horas siguientes, desde medianoche hasta las dos de la madrugada, la profesora estuvo subiendo y bajando la escalera de su sótano como poseída por una extraña fuerza de control mental. Cuando por fin frenó, vio que había subido más de 2.000 escalones. Eso es más de los 1.872 necesarios para subir al Empire State Building. Mientras subía y bajaba por la escalera en mitad de la noche, se sentía incapaz de parar. Bajo la influencia del Striiv Smart Pedometer, Chance se había convertido en una zombi del *fitness*.

En apariencia, la historia de Chance es un caso de manual de cómo algo supuestamente tan saludable como un podómetro puede convertirse en una distracción dañina. Cuando me enteré de la extraña obsesión de Chance con su monitor de actividad, quise saber más. Pero antes debía entender mejor qué era lo que en realidad empujaba ese comportamiento.

Durante cientos de años, hemos creído que la motivación se alimenta mediante recompensas y castigos. Citando al filósofo inglés Jeremy Bentham, fundador del utilitarismo: «La naturaleza ha situado a la humanidad bajo el gobierno de dos soberanos: el dolor y el placer».[3] Sin embargo, la realidad es que la motivación está mucho menos relacionada con el placer de lo que creíamos.

Incluso cuando pensamos que estamos buscando placer, en realidad lo que nos empuja es la querencia de liberarnos del dolor que nos provoca el deseo.

Epicuro, el antiguo filósofo griego, lo expresó mejor: «Con placer, nos referimos a la ausencia de dolor en el cuerpo y de turbación en el alma».[4]

Dicho de forma sencilla: el deseo de aliviar la incomodidad es la causa origen de nuestro comportamiento, mientras que todo lo demás es una causa adyacente.

Piensa en el billar. ¿Qué es lo que hace que las bolas de colores entren en los agujeros? ¿La bola blanca, el taco o las acciones del jugador? Entendemos que, aunque la bola blanca y el taco son necesarios, la causa origen es el jugador. La bola blanca y el taco no son la causa origen, sino causas adyacentes del resultado final.[5]

En el juego de la vida, a menudo nos cuesta advertir la causa origen de las cosas. Cuando no nos conceden un ascenso, culpamos al taimado compañero de trabajo que nos lo ha robado en lugar de reflexionar sobre nuestra falta de cualificación e iniciativa. Cuando discutimos con nuestra pareja, podemos achacar el conflicto a un incidente minúsculo, como dejarse la tapa del váter levantada, en lugar de reconocer que hay temas que llevamos años sin resolver. Y cuando usamos a los políticos e ideólogos de signo opuesto como chivos expiatorios para explicar todos los males del mundo, elegimos no tratar de entender las profundas razones sistémicas que se ocultan tras esos problemas.

Las causas adyacentes tienen todas algo en común: nos ayudan a esquivar la responsabilidad y trasladarla a otra cosa o persona. No es que la bola blanca y el taco no pinten nada en la ecuación, lo mismo que el compañero de trabajo o la tapa del váter, pero desde luego no son los únicos responsables del resultado. Sin entender y abordar las causas origen, permanecemos atrapados como víctimas desamparadas en una tragedia de creación propia.

Las distracciones en nuestra vida son el resultado de estas mismas fuerzas: son causas adyacentes a las que achacamos todo mientras el origen queda oculto. Tendemos a culpar a cosas como la televisión, la comida basura, las redes sociales, el tabaco y los videojuegos, pero todo eso son causas adyacentes de nuestra distracción.

> Culpar únicamente al *smartphone* de ser
> el causante de nuestra distracción es tan erróneo
> como culpar a un podómetro de que alguien
> suba demasiadas escaleras.

A menos que abordemos las causas origen de nuestra distracción, seguiremos encontrando formas de distraernos. Resulta que el problema con la distracción no es la distracción en sí, sino cómo respondemos a ella.

En una larga conversación por correo electrónico, Zoë me contó los oscuros y auténticos motivos que impulsaron su comportamiento extremo, y que no había revelado en su charla TEDx: «Mi adicción a Striiv coincidió con uno de los periodos más estresantes de mi vida», me cuenta.[6] «Acababa de entrar en el mercado laboral en busca de mi primer trabajo como profesora de *marketing*, un proceso muy desagradable, que duraba meses y que conllevaba una incertidumbre brutal.» Continúa: «No es raro que los académicos que buscan trabajo experimenten síntomas físicos de estrés. Se me caía el pelo, no dormía bien y tenía palpitaciones. Sentía que estaba enloqueciendo y que no podía contárselo a nadie».

Chance ocultaba además un secreto sobre su matrimonio: su marido también era profesor de *marketing*, lo que significaba que la pareja necesitaba encontrar dos puestos juntos, es decir, o un puesto para ella donde estaba él o dos ofertas en otro centro. «Los departamentos de Marketing son pequeños —explica—, y que salgan dos ofertas al mismo tiempo es más difícil que encontrar una aguja en un pajar.»

Para complicar aún más las cosas, el matrimonio hacía aguas. «No sabía si mi marido y yo íbamos a seguir juntos, pero, dado que lo mejor que podía pasar era que arregláramos las cosas, siguiéramos juntos y yo encontrara trabajo en su universidad, no queríamos que nadie de allí supiera que a lo mejor nos divorciábamos, porque entonces habría menos probabilidades de que me ofrecieran un puesto.»

Chance se sentía atrapada. «Sabía que, aunque me esforzara al máximo, nada me garantizaba que la cosa fuese a acabar bien, ni en mi matrimonio ni en el ámbito laboral, y, visto en perspectiva, ahora comprendo que Striiv me proporcionaba algo que podía controlar y en lo que podía tener éxito.» Durante esa época especialmente difícil, dice que usaba su Striiv como mecanismo de afrontamiento. «Era una forma de huir de la realidad», admite ahora.

La mayoría de las personas no quieren reconocer la incómoda verdad de que la distracción siempre es una huida poco sana de la realidad. Cómo gestionamos los disparadores internos incómodos determina si emprendemos acciones sanas de tracción o distracciones que nos sabotean.

A Chance, ascender en la clasificación de Striiv le proporcionaba la vía de escape que buscaba. Para otras personas, esa vía de escape consiste en mirar redes sociales, pasar más tiempo en la oficina, ver la televisión o, en algunos casos, beber o consumir drogas duras.

Si estás intentando esquivar el dolor de algo tan serio y latente como un divorcio, el problema real no es el podómetro; si no te enfrentas a la incomodidad que alimenta el deseo de huir, seguirás recurriendo a una distracción tras otra.

Solo si entiendes tu dolor puedes empezar
a controlarlo y hallar una manera mejor
de gestionar los impulsos negativos.

Por suerte, Chance fue capaz de llegar a esa conclusión. Primero, se centró en la causa real de incomodidad en su vida, hasta llegar a los disparadores internos de los que había estado intentando huir. Aunque acabó separándose de su esposo, dice que ahora se encuentra en un momento vital mucho mejor. Profesionalmente, tiene una plaza a tiempo completo en Yale, donde sigue dando clases. También ha encontrado maneras mejores de cuidar su salud y controlar su tiempo: incluye la actividad física regular en su horario, en lugar de dejar que un podómetro le dicte lo que debe hacer.

Aunque superar su obsesión fue un paso en la buena dirección para Chance, el podómetro Striiv no será la última distracción de su vida. Al haber detectado la causa origen, en lugar de culpar a las adyacentes, la próxima vez será más capaz de abordar el problema real. Si se utilizan juntas, las estrategias y técnicas que estás a punto de aprender en esta parte del libro funcionan tanto inmediatamente como a largo plazo.

RECUERDA

- **Entiende la causa origen de la distracción.** La distracción no se limita a tus dispositivos. Distingue las causas adyacentes de la causa origen.
- **Toda motivación es un deseo de escapar de la incomodidad.** Si un comportamiento fue previamente eficaz a la hora de proporcionarnos alivio, es probable que sigamos usándolo como herramienta para huir de la incomodidad.
- **Cualquier cosa que detenga la incomodidad puede ser adictiva, pero eso no la convierte en irresistible.** Si sabes qué impulsa tu comportamiento, puedes tomar medidas para gestionarlo.

4

Gestionar el tiempo es gestionar el dolor

Al principio no quise creer la incómoda verdad que se esconde tras lo que realmente impulsa la distracción. Pero, tras digerir la literatura científica, tuve que enfrentarme al hecho de que la motivación para distraernos se origina en nuestro interior. Como sucede con todos los comportamientos humanos, la distracción no es más que otra estrategia del cerebro para intentar afrontar el dolor. Si aceptamos este hecho, tiene sentido que la única forma de manejar la distracción sea aprender a manejar la incomodidad.

Si la distracción nos roba tiempo,
entonces gestionar el tiempo
es gestionar el dolor.

Pero ¿de dónde procede nuestra incomodidad? ¿Por qué estamos perpetuamente inquietos e insatisfechos? Podemos vivir en la época más segura, saludable, con mejor formación y más democrática de la historia humana y, aun así, parte de la psique humana nos lleva a buscar sin cesar una ruta de escape de la agitación interior.[1] Como dijo Samuel Johnson, poeta del siglo XVIII: «Mi vida es una larga huida de mí mismo».[2] Y la mía, hermano. Y la mía.

Por suerte, podemos ampararnos en el hecho de que estamos programados para experimentar esa insatisfacción. Lamento decir esto, pero lo más probable es que ni tú ni yo nos sintamos nunca del todo felices con nuestra vida. ¿Que tendremos episodios esporádicos de alegría? Pues claro que sí. ¿Algún que otro momento de euforia? Sí. ¿Que de vez en cuando cantaremos «Happy», de Pharrell Williams, en ropa interior por casa? ¿Y quién no? Pero, si hablamos de esa satisfacción del tipo «y vivieron felices y comieron perdices» de los cuentos, ya puedes ir despidiéndote. Es un mito. Esa felicidad está diseñada para no durar demasiado. Eones de evolución nos han dado a ti y a mí un cerebro que casi siempre está insatisfecho.

Estamos diseñados así por un motivo muy sencillo. Un estudio publicado por *Review of General Psychology* afirma: «Si la satisfacción y el placer fueran permanentes, habría pocos incentivos para seguir buscando mayores beneficios o avances».[3] Dicho de otro modo, la satisfacción no era buena para la especie. Nuestros ancestros trabajaban más y se esforzaban más porque evolucionaron para estar perpetuamente incómodos, y así seguimos en la actualidad.

Por desgracia, los mismos rasgos evolutivos que ayudaron a nuestra especie a sobrevivir empujándola a hacer siempre más pueden estar conspirando en nuestra contra hoy en día.

Hay cuatro factores psicológicos que hacen
que la satisfacción sea temporal.

Empecemos por el primer factor: el aburrimiento. Es francamente chocante ver qué pueden llegar a hacer las personas para evitar aburrirse. Veamos un ejemplo. En 2014, en un estudio publicado por *Science*, se pedía a los participantes que se sentaran en una sala a pensar durante quince minutos.[4] La sala estaba vacía salvo por un dispositivo que permitía a los participantes someterse a descargas eléctricas suaves pero dolorosas. «¿Por qué iba a querer nadie hacerse eso?», te preguntarás.

Cuando se les planteó la posibilidad antes del experimento, todos los participantes afirmaron que estarían dispuestos a pagar para evitar la descarga eléctrica. Sin embargo, al quedarse a solas en la sala con la máquina sin nada que hacer, el 67 por ciento de los hombres y el 25 por ciento de las mujeres se sometieron a una descarga, y muchos lo hicieron más de una vez. Los autores del estudio concluyen su artículo así: «La gente prefiere hacer a pensar, aunque lo que tengan que hacer sea tan desagradable que, en circunstancias normales, pagarían para evitar hacerlo. A la mente no instruida no le gusta quedarse a solas consigo misma». Así, no sorprende a nadie que las 25 páginas web más consultadas en Estados Unidos nos vendan una huida de nuestra monotonía diaria mediante compras, cotilleos sobre famosos o pequeñas dosis de interacción social.[5]

El segundo factor psicológico que nos conduce a la distracción es el sesgo de negatividad: «un fenómeno mediante el cual los sucesos negativos destacan y llaman más la atención que los neutros o los positivos».[6] Como concluyó el autor de otro estudio: «Que lo malo es más potente que lo bueno parece un hecho básico y omnipresente en psicología».[7] Este pesimismo aparece en etapas vitales muy tempranas. Los bebés empiezan a mostrar signos de sesgo de negatividad con solo siete meses, lo que sugiere que es una tendencia innata.[8] A medida que avanza la investigación, los científicos creen que tendemos a evocar con más facilidad los recuerdos malos que los buenos. Diversos estudios han hallado que las personas son más propensas a recordar momentos infelices de su infancia, aunque la describan como feliz en general.[9]

Es casi seguro que el sesgo de negatividad nos proporcionó una ventaja evolutiva. Las cosas buenas son bonitas, pero las malas pueden matarte, por eso les damos preferencia a la hora de prestar atención y recordar. ¡Es útil, pero es un rollo!

El tercer factor es la rumiación, nuestra tendencia a pensar sin descanso en las malas experiencias. Si alguna vez te has puesto a dar vueltas y más vueltas a algo que has hecho, o que te han hecho, o a algo que no tienes pero te gustaría tener, como si fueras incapaz de dejar de pensar en ello, has experimentado lo que los psicólogos llaman «rumiación». Esta «comparación pasiva de la situación actual de una persona con un estándar no alcanzado» puede manifestarse en forma de pensamientos autocríticos como: «¿Por qué no puedo hacer mejor las cosas?».[10] Como indica un estudio: «Al reflexionar sobre lo que salió mal y cómo se podría rectificar, las personas podrían descubrir las fuentes de sus errores o desarrollar nuevas estrategias que, en última instancia, les llevarían a no repetir errores y, quizá, hacer las cosas mejor en el futuro».[11] Otro rasgo en teoría útil que puede llegar a dejarnos hechos polvo.

Aburrimiento, sesgo de negatividad y rumiación, todo esto nos predispone a la distracción. Pero puede que el cuarto factor sea el más cruel de todos. La adaptación hedónica, la tendencia a regresar rápidamente a un nivel basal de satisfacción, independientemente de lo que nos ocurra en la vida, es el timo de la estampita de la madre naturaleza. Todos los sucesos vitales que creemos que nos harán más felices en realidad no lo hacen, o no por mucho tiempo. Hay personas que han tenido una suerte buenísima, por ejemplo, han ganado la lotería, que afirman que las cosas que antes les gustaban perdieron brillo, lo que, en la práctica, los condujo a sus niveles previos de satisfacción.[12] Como escribe David Myers en *The Pursuit of Happiness* [La búsqueda de la felicidad]: «Toda experiencia deseable, un amor apasionado, la elevación espiritual, el placer de una nueva posesión, la euforia del éxito, es transitoria».[13] Por descontado, como sucede con los otros tres factores, la adaptación hedónica presenta ventajas evolutivas. El autor de un estudio explica que «a medida que nuevos objetivos captan la atención de alguien, esta persona se esfuerza constantemente en ser feliz sin ser consciente de que, a largo plazo, el esfuerzo es fútil».[14]

Y aquí es cuando empieza a sonar un violín muy triste. ¿Acaso nuestro destino es la futilidad? Por supuesto que no. Como hemos aprendido, la insatisfacción es un poder innato que puede canalizarse para ayudarnos a mejorar las cosas del mismo modo que resultó útil a nuestros parientes prehistóricos.

La insatisfacción y la incomodidad dominan
el estado por defecto de nuestro cerebro,
pero podemos usarlos para motivarnos
en vez de para derrotarnos.

Sin esta inquietud perpetua, nuestra especie estaría mucho peor o, seguramente, se habría extinguido. Es nuestra insatisfacción la que nos impulsa a hacer todo lo que hacemos, incluido cazar, buscar, crear y adaptar. Hasta los actos altruistas, como ayudar a otra persona, están motivados por nuestra necesidad de huir de la sensación de culpa e injusticia. Nuestro deseo insaciable de intentar conseguir más es lo que nos lleva a derrocar a tiranos, lo que impulsa la invención de tecnologías que cambian el mundo y salvan vidas, es el combustible invisible que alimenta nuestra ambición de viajar fuera de nuestro planeta y explorar el cosmos.

La insatisfacción es responsable de los avances y los defectos de nuestra especie. Para aprovechar su poder, debemos abandonar la idea errónea de que si no somos felices, no somos normales: lo cierto es justo lo contrario. Aunque este cambio de mentalidad puede resultar estremecedor, también puede ser increíblemente liberador.

Es bueno saber que sentirse mal
no es en realidad malo; es exactamente
lo que pretendía el mecanismo de supervivencia
de los más adaptados.

Si lo aceptamos, tenemos la oportunidad de no caer en las trampas de nuestra psique. Podemos reconocer el dolor y pasar por encima de él, lo cual constituye el primer paso para convertirnos en inmunes a la distracción.

RECUERDA

- **Gestionar el tiempo es gestionar el dolor.** Las distracciones nos roban tiempo y, como cualquier acción, están impulsadas por el deseo de huir de la incomodidad.
- **La evolución favoreció la insatisfacción por encima de la satisfacción.** Nuestra aversión al aburrimiento, el sesgo de negatividad, la rumiación y la adaptación hedónica conspiran para asegurarse de que nuestra satisfacción nunca dure demasiado.
- **La insatisfacción es responsable tanto de los avances como de los defectos de nuestra especie.** Es un poder innato que puede canalizarse para ayudarnos a mejorar las cosas.
- **Si queremos dominar la distracción, debemos aprender a lidiar con la incomodidad.**

5

Lidiar con la distracción desde dentro

Jonathan Bricker, psicólogo del Centro de Investigación del Cáncer Fred Hutchinson, en Seattle, ha dedicado su carrera a ayudar a las personas a gestionar el tipo de incomodidad que no solo conduce a la distracción, sino también a la enfermedad. Su trabajo se ha demostrado eficaz para reducir el riesgo de que el cáncer altere el comportamiento de los pacientes. Bricker escribe: «La mayoría de las personas no consideran el cáncer un problema conductual, pero ya sea dejar de fumar, perder peso o hacer más ejercicio, hay cosas que sin duda puedes hacer para reducir el riesgo y tener así una vida más larga y de mayor calidad».[1]

El abordaje de Bricker implica dominar el poder de la imaginación para ayudar a sus pacientes a ver las cosas de otra manera. Su trabajo muestra que aprender determinadas técnicas como parte de la terapia de aceptación y compromiso (ACT, por sus siglas en inglés) puede desmontar la incomodidad que a menudo conduce a distracciones nocivas.

Bricker decidió centrar sus esfuerzos en el abandono del tabaquismo y desarrolló una aplicación para hacer ACT por internet. Aunque él usa la ACT en concreto para ayudar a las personas a dejar de fumar, se ha hallado que los principios del programa son eficaces para reducir muchos tipos de deseos incontrolables. El núcleo de la terapia consiste en aprender a detectar y aceptar los antojos y a gestionarlos de manera saludable. En lugar de reprimir los deseos, la ACT propone un método para distanciarse, detectar, observar y, por último, dejar que el deseo desaparezca de forma natural. ¿Y por qué no enfrentarnos directamente a nuestros deseos? ¿Por qué no decir «no» y ya está?

Resulta que la abstinencia mental puede volverse en nuestra contra.

Fiódor Dostoyevski escribió en 1863: «Intenta proponerte esta tarea: no pienses en un oso polar, y verás que la maldita cosa acudirá a tu mente a cada minuto».[2] Ciento veinticuatro años después, el psicólogo social Daniel Wegner puso a prueba la afirmación de Dostoyevski.

En un estudio, los participantes a quienes pidieron que evitaran pensar en un oso blanco durante cinco minutos lo hicieron de media una vez por minuto, tal y como había predicho Dostoyevski. Pero ahí no acaba el estudio de Wegner. Cuando se pidió al mismo grupo que intentara conjurar a un oso blanco, lo hicieron mucho más a menudo que un grupo al que no habían pedido que reprimiera el pensamiento. «Los resultados sugieren que reprimir el pensamiento durante los cinco primeros minutos lo hizo "rebotar" de forma aún más destacada más tarde en la mente de los participantes»,[3] según un artículo de *Monitor on Psychology*. Wegner bautizó más tarde esta tendencia como «teoría de los procesos irónicos» para explicar por qué cuesta tanto domesticar los pensamientos intrusivos. Los llamó «procesos irónicos» porque liberarse de la tensión del deseo lo hace mucho más satisfactorio.

Un ciclo sin fin de resistencia, rumiación y, por último, rendición frente al deseo perpetúa el ciclo y es muy probable que impulse muchos de nuestros comportamientos indeseados.

Por ejemplo, muchos fumadores creen que es una sustancia química, la nicotina, la que dispara sus ganas de fumar. Y no se equivocan, claro, pero tampoco aciertan del todo. La nicotina produce una sensación física inconfundible. Sin embargo, un estudio fascinante con auxiliares de vuelo demostró que las ganas de fumar pueden estar mucho menos relacionadas con la nicotina de lo que pensábamos.

Dos grupos de auxiliares de vuelo que fumaban salieron de Israel en dos aviones distintos. Uno de ellos hizo un vuelo de tres horas a Europa, mientras que el otro se dirigió a Nueva York, un vuelo de diez horas. Los investigadores pidieron a todos los fumadores que puntuaran sus ganas de fumar en intervalos de tiempo concretos antes, durante y después del vuelo.[4] Si las ganas de fumar estuvieran dictadas únicamente por el efecto de la nicotina en el cerebro, lo esperable sería que ambos grupos indicaran tener muchas ganas transcurrido el mismo número de minutos desde su último cigarrillo; cuanto más tiempo pase, más ansiará nicotina el cerebro. Pero no fue eso lo que ocurrió.

Cuando los auxiliares de vuelo que iban camino de Nueva York se hallaban en mitad del océano Atlántico, aseguraron que las ganas de fumar eran leves. Mientras tanto, en ese mismo momento, las ganas de sus compañeros, que acababan de aterrizar en Europa, estaban en su punto más alto. ¿Qué estaba pasando?

Los auxiliares de vuelo que viajaban a Nueva York sabían que no podían fumar durante un vuelo, porque los despedirían. Solo más tarde, cuando ya estaban cerca de su destino, fue cuando indicaron tener las mayores ansias de fumar. Al parecer, la duración del viaje y el tiempo transcurrido desde el último cigarrillo no afectaron al nivel de ganas de fumar de los auxiliares de vuelo.

Lo que afectaba a su deseo no era el tiempo transcurrido desde el último cigarrillo, sino el tiempo que quedaba para poder volver a fumar.[5] Si, como sugiere este estudio, el deseo de consumir algo tan adictivo como la nicotina se puede manipular así, ¿por qué no podemos engañar a nuestro cerebro para dominar los deseos nocivos? Por suerte, ¡sí podemos!

Comprobarás que a lo largo del libro cito investigaciones sobre la adicción a drogas y dejar de fumar. Lo hago por dos motivos: el primero, aunque algunos estudios muestran que hay muy pocas personas «adictas» de manera patológica a distracciones como internet, el uso excesivo de la tecnología puede semejarse a una adicción para muchas personas;[6] el segundo, quería argumentar que, si estas técnicas bien establecidas resultan eficaces para romper con la dependencia física de la nicotina y otras sustancias, sin duda podrán ayudarnos a controlar el impulso de distraernos. Al fin y al cabo, ni nos pinchamos Instagram ni esnifamos Facebook.

Algunos deseos se pueden modular, si no mitigar por completo, cambiando nuestra forma de pensar en nuestros deseos incontrolados. En los capítulos siguientes, aprenderemos a mirar con otros ojos tres cosas: el disparador interno, la tarea y nuestro temperamento.

RECUERDA

- **Sin técnicas para desmontar la tentación, la abstinencia mental puede volverse en nuestra contra.** Resistirse a las ganas de hacer algo puede disparar la rumiación y hacer que el deseo sea más fuerte.
- **Podemos gestionar las distracciones que se originan en nuestro interior cambiando nuestra forma de pensar en ellas.** Podemos reimaginar el disparador, la tarea y nuestro temperamento.

6

Reimagina el disparador interno

Aunque no podemos controlar los sentimientos y pensamientos que nos vienen a la cabeza, sí podemos controlar qué hacemos con ellos. El trabajo de Bricker, que usa la terapia de aceptación y compromiso en programas para dejar de fumar, sugiere que deberíamos desistir de decirnos que no debemos pensar en un deseo; en lugar de eso, debemos aprender mejores formas de sobrellevarlo. Lo mismo es aplicable a otras distracciones, como mirar demasiado el teléfono, comer comida basura o comprar de más. En lugar de intentar combatir el deseo, necesitamos nuevos métodos para gestionar los pensamientos intrusivos. Los cuatro pasos siguientes nos ayudarán a hacerlo.

Paso I: Busca la incomodidad que precede a la distracción, centrándote en el disparador interno

Un problema habitual que tengo al escribir es la necesidad de buscar algo en Google. Es fácil justificar esta mala costumbre como «estoy documentándome», pero en el fondo yo sé que, a menudo, no es más que una distracción de un trabajo difícil. Bricker recomienda centrarse en el disparador interno que precede al comportamiento no deseado, como «sentir ansiedad, tener ganas de algo, sentir inquietud o pensar que eres incompetente».

Paso 2: Toma nota del disparador

Bricker aconseja tomar nota del disparador, independientemente de si cedes o no a la distracción. Recomienda apuntar el momento del día, qué estabas haciendo y cómo te has sentido al percibir el disparador interno que te ha llevado al comportamiento de distracción «en cuanto seas consciente del comportamiento», porque en ese momento es más fácil que recuerdes cómo te sentías. He incluido un monitor de distracciones al final del libro para que anotes en él los disparadores que experimentas a lo largo del día. Puedes descargar e imprimir más copias en <NirAndFar.com/Indistractable>; tenlas a mano.

Según Bricker, aunque a las personas no les cuesta mucho identificar el disparador externo, «lleva su tiempo, y unos cuantos intentos, empezar a detectar los importantísimos disparadores internos». Él recomienda hablar de nuestras ganas de hacer algo como si fuéramos observadores externos y decirnos cosas como: «Ahora mismo, noto esa tensión en el pecho. Y, mírame, ya estoy alargando el brazo para coger el iPhone». Cuanto más mejoremos a la hora de detectar el comportamiento, con el tiempo, mejor se nos dará gestionarlo. «La ansiedad desaparece, el pensamiento se debilita o lo sustituye otro pensamiento.»

Paso 3: Explora tus sensaciones

A continuación, Bricker recomienda mostrar curiosidad por la sensación. Por ejemplo, cuando estás a punto de distraerte, ¿se te crispan los dedos? ¿Sientes un cosquilleo en el estómago al pensar en el trabajo cuando estás con tus hijos? ¿Qué notas cuando la sensación alcanza su punto más alto y cuando desaparece? Bricker nos anima a experimentar la sensación antes de actuar por impulso.

Al aplicar técnicas similares en un estudio sobre dejar de fumar, los participantes que aprendieron a reconocer y explorar sus ganas de encender un cigarrillo lograron dejarlo en una proporción que duplicó la tasa de los mejores programas para abandonar el tabaquismo de la Asociación Estadounidense del Pulmón.[1]

Una de las técnicas favoritas de Bricker es el método de las «hojas arrastradas por la corriente». Cuando sientas el incómodo disparador interno para hacer algo que preferirías no hacer, «imagina que te has sentado junto a una corriente de agua que fluye con suavidad», dice. «Luego, imagina que unas hojas se ven arrastradas por la corriente. Deposita cada uno de los pensamientos que tienes en la cabeza en una de esas hojas. Puede ser un recuerdo, una palabra, una preocupación, una imagen. Deja que las hojas avancen y se alejen llevadas por la corriente, mientras tú las observas sin moverte.»

Paso 4: Cuidado con los momentos liminares

Los momentos liminares son transiciones de una cosa a otra a lo largo del día. ¿Alguna vez te has puesto a mirar el teléfono mientras esperabas que el semáforo se pusiera en verde y al rato te has percatado de que seguías mirando el teléfono mientras conducías? ¿O has abierto una pestaña en el navegador, te has aburrido porque le estaba costando mucho cargar y has abierto otra página mientras esperabas? ¿O has echado una ojeada a una aplicación de redes sociales mientras te desplazabas de una reunión a otra y has seguido deslizando el dedo al regresar a tu mesa? Estas acciones no tienen nada de malo por sí solas. Lo que sí resulta peligroso es que, al hacerlas «solo un momento», es probable que hagamos cosas de las que luego nos arrepintamos, como perder el tiempo durante media hora o tener un accidente de tráfico.

Una técnica que a mí me resulta especialmente útil para lidiar con esta trampa es la «regla de los diez minutos».[2] Si noto que quiero consultar el móvil para usarlo como dispositivo de relajación cuando no se me ocurre nada mejor que hacer, me digo que no hay problema en hacerlo, pero no en ese preciso momento. Tengo que esperar diez minutos. Esta técnica es eficaz a la hora de lidiar con todo tipo de posibles distracciones, desde buscar algo en Google en vez de escribir, comer algo poco saludable cuando me aburro o ver otro episodio en Netflix cuando estoy «demasiado cansado para irme a la cama».

Esta norma nos da tiempo para hacer lo que los psicólogos conductuales denominan «surfear el impulso».[3] Cuando nos sobreviene un impulso, percibir la sensación y subirnos a ella como a una ola, sin intentar apartarla ni actuar en función de ella, nos ayuda a aguantar hasta que remita.

Se ha demostrado que surfear el impulso, junto con otras técnicas para dirigir nuestra atención hacia esas ganas de hacer algo, reduce el número de cigarrillos consumidos por los fumadores en comparación con el grupo de control que no empleó esa técnica.[4] Si seguimos queriendo llevar a cabo la acción después de surfear el impulso durante diez minutos, podemos hacerlo, pero rara vez ocurre. El momento liminar ha pasado y somos capaces de hacer lo que de verdad queríamos hacer.

Técnicas como surfear el impulso e imaginar las ansias de hacer algo como hojas arrastradas por la corriente constituyen ejercicios para desarrollar habilidades mentales que nos ayuden a dejar de ceder impulsivamente a las distracciones. Reacondicionan nuestra mente para aliviar nuestros disparadores internos de manera reflexiva en lugar de reactiva. Como escribió Oliver Burkeman en *The Guardian*: «Es una verdad curiosa que cuando prestas atención de forma amable a las emociones negativas, estas tienden a disiparse, mientras que las positivas se expanden».[5]

Ya hemos visto cómo podemos reimaginar nuestros disparadores internos; a continuación aprenderemos a reimaginar la tarea en la que estamos intentando concentrarnos.

RECUERDA

- **Al reimaginar un disparador interno incómodo, podemos desmontarlo.**
- **Paso 1.** Busca la emoción que precede a la distracción.
- **Paso 2.** Toma nota del disparador interno.
- **Paso 3.** Explora la sensación negativa con curiosidad y no con desdén.
- **Paso 4.** Ten mucho cuidado en los momentos liminares.

7

Reimagina la tarea

Ian Bogost se gana la vida estudiando la diversión. Profesor de informática interactiva en el Instituto Tecnológico de Georgia, Bogost ha escrito diez libros, incluidos algunos títulos curiosos como *How to Talk about Videogames* [Cómo hablar de videojuegos], *The Geek's Chihuahua* [El chihuahua del friqui] y, el más reciente, *Play Anything* [Juega con cualquier cosa]. En su último libro, Bogost hace algunas afirmaciones atrevidas que desafían nuestra forma de ver la diversión y el juego. «La diversión —escribe— resulta divertida incluso cuando no implica mucho disfrute (si es que lo implica).»[1] ¿Qué?

¿Que la diversión no tiene que resultar agradable? No necesariamente, afirma Bogost. Al deshacernos de nuestra idea de diversión, nos abrimos a ver las tareas de un modo nuevo. Él nos advierte de que el juego puede formar parte de cualquier tarea difícil, y aunque jugar no tiene por qué ser placentero, sí nos puede liberar de la incomodidad, que, no lo olvidemos, es el ingrediente principal que conduce a la distracción.

Teniendo en cuenta lo que sabemos sobre nuestra propensión a la distracción cuando sentimos incomodidad, reimaginar el trabajo difícil como divertido puede ser increíblemente empoderador. Imagina sentir que tienes el poder de convertir el arduo trabajo que te exige concentración en algo que parece un juego. ¿Es siquiera posible? Bogost opina que sí, pero es probable que no como tú crees.

La diversión y el juego no tienen por qué hacernos sentir bien por sí mismos; pero sí pueden usarse como herramientas para mantener nuestra concentración.

Todos hemos oído alguna vez el consejo de Mary Poppins de añadir «un poco de azúcar» para convertir un trabajo en un juego, ¿no? Pues Bogost opina que Poppins se equivocaba. Él afirma que el abordaje de la niñera «recomienda tapar la monotonía». Y escribe: «No nos divertimos porque no nos tomamos las cosas lo bastante en serio, y no porque nos las tomemos tan a pecho que tengamos que rebajar su amargo sabor con azúcar. Divertirse no es tanto una sensación como el resultado de que un operador sea capaz de tratar algo con dignidad».

Bogost nos dice que «la diversión es la consecuencia de manipular deliberadamente una situación conocida de una forma nueva». Así que la respuesta es concentrarse en la tarea en sí. En lugar de huir del dolor o de usar recompensas como premios o regalos para motivarte, la idea es prestar tanta atención que acabes descubriendo retos que no habías visto. Esos nuevos retos te proporcionan la sensación de novedad que te lleva a centrar en ellos tu atención y mantener la concentración cuando la distracción te tiente.

Hay innumerables distracciones comerciales, como la televisión o las redes sociales, que emplean recompensas variables como las de las máquinas tragaperras para mantenernos enganchados con una oleada incesante de novedad. Pero Bogost señala que podemos utilizar las mismas técnicas para hacer que cualquier tarea sea más placentera y absorbente.

Podemos usar las mismas conexiones neuronales que nos mantienen enganchados a los medios para engancharnos a lo que sería una tarea desagradable.

Bogost pone el ejemplo de cortar el césped. «Puede parecer ridículo tildar de "divertida" una actividad así», escribe y, sin embargo, aprendió a amarla. Así es como lo hizo: «En primer lugar, presta una atención total, disparatada e incluso absurda a lo que estás haciendo». En el caso de Bogost, absorbió toda la información que pudo al respecto de cómo crece el césped y cómo hay que tratarlo. Después creó un «parque imaginario» cuyas limitaciones le ayudaron a crear experiencias con sentido. Aprendió sobre las limitaciones a las que debía ceñirse, incluidas las condiciones meteorológicas locales y lo que puede hacer o no cada una de las herramientas a su disposición. Trabajar con limitaciones, afirma Bogost, resulta crucial para la creatividad y la diversión. Encontrar el camino óptimo para el cortacésped o batir un récord de tiempo son otras formas de crear un parque imaginario.

Aunque podría parecer que aprender a divertirse cortando el césped es llevar las cosas un poco demasiado lejos, las personas se divierten haciendo un gran número de actividades que a ti quizá no te parezcan demasiado interesantes. Piensa en el camarero de la cafetería de cerca de mi casa, que está obsesionado con el café y dedica una cantidad ridícula de tiempo a buscar la manera perfecta de prepararlo; en el loco de los coches que pasa horas y horas perfeccionando su máquina o en la aficionada a la costura que crea minuciosamente jerséis y colchas con diseños intrincados para todos sus conocidos. Si las personas pueden divertirse haciendo esas actividades por decisión propia, ¿qué tiene de raro aplicar la misma mentalidad a otras tareas?

En mi caso, aprendí a mantener la concentración en la tediosa tarea de escribir libros buscando el misterio de mi trabajo. Escribo para dar respuesta a preguntas interesantes y descubrir soluciones nuevas para problemas antiguos. Citando un conocido aforismo: «La cura del aburrimiento es la curiosidad. La curiosidad es incurable».[2] En la actualidad, escribo porque es divertido. También es mi profesión, claro, pero, al encontrarle la parte divertida, ahora soy capaz de hacer mi trabajo sin distraerme tanto como antes.

La diversión es buscar la variabilidad en algo
que otros no ven. Es superar el aburrimiento
y la monotonía para descubrir su belleza oculta.

Los grandes pensadores y manitas de la historia hicieron sus hallazgos porque se obsesionaron con el embriagador impulso del descubrimiento: el misterio que nos atrae porque queremos saber más.

Pero recuerda: buscar la novedad solo es posible cuando nos concedemos el tiempo para centrarnos a propósito en la tarea y buscar a fondo la variabilidad. Ya sea la incertidumbre sobre nuestra capacidad para hacer una tarea mejor o más rápido que la última vez, o regresar para desafiar lo desconocido un día tras otro, la cruzada para resolver esos misterios es lo que convierte la incomodidad de la que intentamos huir con la distracción en una actividad que abrazamos.

El último paso en la gestión de los disparadores internos que pueden conducirnos a la distracción consiste en reimaginar nuestras capacidades. Empezaremos destruyendo una creencia contraproducente y habitual que muchos nos recordamos a diario.

RECUERDA

- **Podemos dominar los disparadores internos reimaginando las tareas monótonas.** La diversión y el juego pueden utilizarse como herramientas para mantener la concentración.
- **El juego no tiene que ser placentero.** Solo tiene que captar nuestra atención.
- **Podemos sumar novedad e intención a cualquier tarea para hacerla divertida.**

8

Reimagina tu carácter

Para gestionar la incomodidad que nos conduce a la distracción, tenemos que pensar en nosotros de otro modo. La forma en que percibimos nuestro carácter, que se define como «conjunto de cualidades o circunstancias propias de una cosa, de una persona o de una colectividad, que las distingue, por su modo de ser u obrar, de las demás», afecta profundamente a nuestro comportamiento.[1]

Una de las creencias más generalizadas y recurrentes de la psicología popular es que el autocontrol es limitado, que, por la naturaleza de nuestro carácter, solo disponemos de una cantidad determinada de fuerza de voluntad. Y no solo eso, según esta idea, si nos esforzamos demasiado, podemos quedarnos sin fuerza de voluntad. Los psicólogos tienen un nombre para este fenómeno: agotamiento del ego.

Hasta no hace tanto, mi rutina después del trabajo era tal que así: me sentaba en el sofá y vegetaba durante horas en compañía de Netflix y una tarrina de helado (en concreto, de Chocolate Fudge Brownie de Ben & Jerry's). Yo sabía que el helado y el sedentarismo no me convenían, pero justificaba mis acciones diciéndome que estaba «consumido», actuando como si mi ego se hubiera agotado (aunque jamás había oído ese término). Esta teoría explicaba a la perfección mis concesiones después del trabajo. Pero ¿existe el agotamiento del ego?

En 2011, el psicólogo Roy Baumeister escribió el éxito de ventas *Willpower: Rediscovering the Greatest Human Strength* [Fuerza de voluntad: redescubrir la mayor fortaleza humana] en colaboración con John Tierney, periodista de *The New York Times*.[2] El libro citaba distintos estudios de Baumeister que demostraban la teoría del agotamiento del ego, incluido uno muy notable que mostraba lo que al parecer era una forma milagrosa de restaurar la fuerza de voluntad: consumir azúcar.[3] El estudio afirmaba que los participantes que habían tomado sorbitos de limonada endulzada con azúcar exhibieron mayor autocontrol y energía frente a tareas difíciles.

Sin embargo, recientemente, algunos científicos han examinado la teoría de una forma más crítica, y unos cuantos han dejado de apoyar la idea. Evan Carter, de la Universidad de Miami, fue uno de los primeros en poner en duda los hallazgos de Baumeister. En un metaanálisis (un estudio de estudios) de 2010, Carter revisó casi doscientos experimentos que concluían que el agotamiento del ego era real. Sin embargo, tras realizar un análisis más minucioso, identificó un «sesgo de publicación», por el que los estudios con resultados contradictorios no se habían incluido.[4] Al tener en cuenta los resultados de los estudios no publicados, llegó a la conclusión de que no hay evidencias firmes que sustenten la teoría del agotamiento del ego.[5] Es más, algunos de los aspectos más mágicos de la teoría, como la idea de que el azúcar puede incrementar la fuerza de voluntad, se han desmontado por completo.[6]

¿Qué podría explicar el fenómeno del agotamiento del ego? Quizá los resultados de los primeros estudios eran auténticos, pero parece que los investigadores sacaron conclusiones precipitadas. Existen nuevos estudios que muestran que beber limonada puede mejorar el desempeño, pero no por los motivos que Baumeister creía. El pico en el desempeño no tenía nada que ver con el azúcar que contenía la bebida, sino que guardaba una relación directa con las ideas de quien la tomaba. En un estudio dirigido por la psicóloga de Stanford Carol Dweck y sus colaboradores, publicado en *Proceedings of the National Academy of Sciences*, Dweck concluyó que solo se observaron síntomas de agotamiento del ego en los sujetos que creían que la fuerza de voluntad era un recurso limitado.[7] No era el azúcar de la limonada, sino la creencia en su influencia, lo que proporcionaba a los participantes el chute de energía extra.

Las personas que no consideraban
la fuerza de voluntad un recurso limitado
no mostraron signos de agotamiento del ego.

Muchas personas siguen difundiendo la idea del agotamiento del ego, quizá porque desconocen la existencia de pruebas que indican lo contrario. Pero si las conclusiones de Dweck son correctas, perpetuar esta idea es realmente dañino. Si el agotamiento del ego está causado en esencia por pensamientos que nos boicotean y no por una limitación biológica, entonces esa idea nos hace menos proclives a alcanzar nuestros objetivos, pues nos proporciona un motivo racional para abandonar cuando podríamos persistir.

Michael Inzlicht, profesor de Psicología en la Universidad de Toronto e investigador principal del Laboratorio de Neurociencia Social de Toronto, propone otra perspectiva. Él cree que la fuerza de voluntad no es un recurso finito, sino que actúa como una emoción.[8] Del mismo modo que no nos quedamos sin alegría o ira, la fuerza de voluntad oscila en respuesta a lo que sucede a nuestro alrededor y cómo nos sentimos.

Advertir la relación entre carácter y fuerza de voluntad a través de otra lente tiene implicaciones muy profundas en nuestra forma de centrar la atención. Por un lado, si la energía mental se parece más a una emoción que a un depósito de gasolina, se puede gestionar y emplear como tal. Un bebé puede tener un berrinche cuando se le quita un juguete, pero, con los años, gana autocontrol y aprende a librarse de las sensaciones desagradables. De un modo similar, cuando tenemos que hacer una tarea difícil, resulta más productivo y saludable creer que la falta de motivación es temporal que decirnos que estamos agotados y que necesitamos un descanso (y tal vez un heladito).

Y aunque podemos dejar de creer que la fuerza de voluntad es limitada, nuestra percepción de ella es solo una faceta de nuestro carácter. Varios estudios recientes han hallado que existe una conexión muy potente entre cómo pensamos sobre otros aspectos de la naturaleza humana y nuestra capacidad para terminar las cosas.

Por ejemplo, para determinar cuánto control tiene una persona sobre su deseo de consumir tabaco, drogas o alcohol, los investigadores emplean una encuesta estándar denominada «Cuestionario sobre creencias al respecto del deseo de consumo» (o *craving*).[9] Las afirmaciones se adaptan al tipo de droga que consumen los participantes y son del tipo: «Una vez que siento el impulso de consumir opiáceos con receta, pierdo el control de mi comportamiento»; «El deseo de consumir opiáceos con receta supera mi fuerza de voluntad», y «Nunca dejaré de desear consumir opiáceos con receta».

La puntuación que una persona adjudica a cada una de esas afirmaciones dice mucho a los investigadores, no solo sobre su estado actual, sino también sobre la probabilidad de que siga siendo adicta. Los participantes que indican sentir que tienen más poder incrementan su probabilidad de desengancharse con el paso del tiempo.[10] En cambio, estudios con consumidores de metanfetamina y fumadores de tabaco han hallado que quienes creían no tener ningún poder para resistirse tenían más números de volver a las andadas después de dejar la adicción.[11]

Esta lógica no es sorprendente, pero su alcance resulta notable. Un estudio publicado en el *Journal of Studies on Alcohol and Drugs* halló que los individuos que se creían incapaces de enfrentarse a su deseo de consumo tenían una probabilidad mucho mayor de volver a beber.[12]

Las creencias de los adictos sobre su incapacidad tenían el mismo peso a la hora de determinar si recaerían después del tratamiento que su nivel de dependencia física.

Deja que cale la idea: ¡la mentalidad era tan importante como la dependencia física! Lo que nos decimos es de vital importancia. Si nos etiquetamos como personas con poco autocontrol acabaremos teniendo poco autocontrol.[13] En lugar de decirnos que fracasamos porque tenemos alguna carencia, deberíamos mostrar compasión y ser amables con nosotros cuando experimentamos reveses.

Diversos estudios han concluido que las personas más compasivas consigo mismas experimentan una mayor sensación de bienestar. Una revisión de 2015 de 79 estudios que incluía las respuestas de más de 16.000 voluntarios descubrió que las personas que tienen una «actitud positiva y cariñosa [...] consigo mismas frente a los fracasos y defectos individuales» tienden a ser más felices.[14] Otro estudio halló que la tendencia de las personas a culparse, junto con la cantidad de tiempo dedicada a rumiar un problema, podría influir en gran medida en los factores más comunes asociados con la depresión y la ansiedad.[15] El nivel de autocompasión de un individuo tiene más efecto en si acabará desarrollando ansiedad y depresión que todos los elementos que tienden a amargar la vida a la gente, como sucesos vitales traumáticos, historial familiar de enfermedad mental, clase social baja o ausencia de red de apoyo social.

La buena noticia es que podemos cambiar nuestra forma de hablarnos para aprovechar el poder de la autocompasión. Esto no significa que no vayamos a equivocarnos, todos lo hacemos. Todos lidiamos con la distracción de un modo u otro. Lo importante es que nos responsabilicemos de nuestras acciones sin acumular culpabilidad tóxica, que hace que nos sintamos aún peor y, qué ironía, nos conduce a intentar distraernos aún más para escapar del dolor que nos produce la vergüenza.

La autocompasión hace a las personas más resilientes frente a los reveses, pues rompe el círculo vicioso del estrés que suele acompañar al fracaso.

Si notas que estás escuchando a la vocecilla de tu cabeza que a veces se comporta como una abusona, es importante que aprendas a responder. En lugar de aceptar lo que dice la voz sin discutírselo, recuerda que los obstáculos forman parte del proceso de crecimiento. No mejoramos sin práctica, que, a veces, puede resultar difícil.

Una buena norma básica es hablarte como le hablarías a un amigo o amiga. Como sabemos muchas cosas de nosotros, tendemos a ser nuestros peores críticos, pero si nos hablamos como hablaríamos a nuestras amistades, vemos la situación tal cual es. Decirte cosas como «Así es como se mejora en algo» y «Vas por buen camino» son formas más sanas de gestionar las dudas sobre tus capacidades.

Reimaginar el disparador interno, la tarea y nuestro carácter son formas potentes y probadas de gestionar las distracciones que nacen de nuestro interior. Podemos afrontar los disparadores internos incómodos reflexionando sobre ellos en lugar de reaccionando a la incomodidad. Podemos reimaginar la tarea que intentamos llevar a cabo buscando la diversión que encierra y concentrándonos más en ella. Por último, y más importante, podemos cambiar el modo en que nos miramos para librarnos de creencias limitantes. Si creemos que no tenemos fuerza de voluntad y autocontrol, no los tendremos. Si decidimos que no podemos hacer nada para resistir a la tentación, acabará siendo verdad. Si nos decimos que somos defectuosos por naturaleza, acabaremos creyéndolo.

Afortunadamente, no tienes que creer todo lo que piensas; solo careces de poder si de verdad lo crees.

RECUERDA

- **Reimaginar nuestro carácter puede ayudarnos a gestionar nuestros disparadores internos.**
- **La fuerza de voluntad no se agota.** Creerlo nos hace menos proclives a conseguir nuestros objetivos, porque nos proporciona un motivo racional para abandonar cuando podríamos persistir.
- **Lo que nos decimos importa.** Etiquetarnos como personas con escaso autocontrol nos boicotea.
- **Practica la autocompasión.** Háblate como le hablarías a tus amistades. Las personas más compasivas consigo mismas son más resilientes.

Segunda parte

RESERVA TIEMPO PARA LA TRACCIÓN

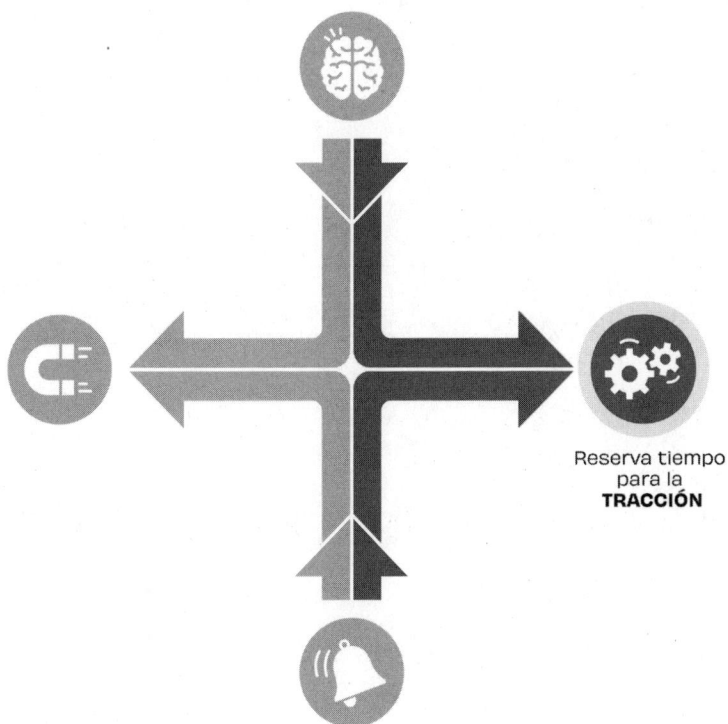

Reserva tiempo
para la
TRACCIÓN

9

Convierte tus valores en tiempo

La tracción te empuja hacia lo que quieres en la vida, mientras que la distracción te aleja. En la primera parte, hemos aprendido formas de lidiar con los disparadores internos que nos pueden llevar a distraernos y a reducir las fuentes de incomodidad; si no controlamos nuestro impulso de huir de los sentimientos incómodos, siempre estaremos buscando soluciones rápidas para aliviar nuestro dolor.

El siguiente paso es hallar modos de hacer más probable la tracción, empezando por ver a qué dedicamos nuestro tiempo. El escritor y filósofo alemán Johann Wolfgang von Goethe creía que se puede predecir el futuro de las personas basándose en un solo hecho: «Si sé a qué dedicas tu tiempo —escribió—, sé adónde puedes llegar».

Piensa en todas las maneras en que los demás te roban el tiempo. El filósofo estoico romano Séneca escribió: «Las personas son frugales a la hora de guardar sus propiedades personales; pero, si hablamos de despilfarrar el tiempo, se dedican a malgastar lo único con lo que vale la pena ser tacaños».[1] Aunque Séneca escribió esto hace más de dos mil años, sus palabras siguen siendo aplicables hoy en día. Piensa en todos los candados, sistemas de seguridad y trasteros que empleamos para proteger nuestras propiedades, y en lo poco que protegemos nuestro tiempo.

Un estudio de Promotional Products Association International halló que solo un tercio de los estadounidenses seguía un horario diario, lo que significa que la mayoría se despierta por la mañana sin ningún plan.[2] Dejamos nuestro bien más valioso, nuestro tiempo, desprotegido, listo para ser robado. Si no planificamos nuestro día, otra persona lo hará por nosotros.

Así que tenemos que establecer un horario, pero ¿por dónde empezamos? Un abordaje habitual consiste en hacer una lista de tareas. Escribimos todo lo que queremos hacer y cruzamos los dedos para encontrar tiempo a lo largo del día para lograrlo. Por desgracia, este método tiene graves defectos. Cualquiera que haya intentado cumplir una lista de este tipo sabe la cantidad de tareas que se suelen pasar de un día al siguiente, y de ahí al siguiente. En lugar de empezar con lo que vamos a hacer, deberíamos empezar con por qué vamos a hacerlo. Y, para ello, antes debemos comenzar con nuestros valores.

Según Russ Harris, autor de *La trampa de la felicidad*, los valores son «cómo queremos ser, qué queremos defender y cómo queremos relacionarnos con el mundo que nos rodea».[3] Se trata de los atributos de la persona que queremos ser. Por ejemplo, esto puede incluir ser personas sinceras, padres cariñosos o miembros valorados de un equipo. Nunca llegamos a alcanzar nuestros valores, del mismo modo que pintar un cuadro no implica que seamos creativos. Un valor es una estrella de guía; es un punto fijo que nos orienta en nuestras decisiones vitales.

Aunque algunos valores son aplicables a todas las facetas vitales, la mayoría se circunscriben a un área. Por ejemplo, ser miembros que aportan valor a un equipo es algo que suele hacerse en el trabajo. Ser parejas o padres cariñosos es algo que sucede en el contexto familiar. Ser personas amables que buscan alcanzar la sabiduría o la buena forma física es algo que hacemos por nosotros mismos.

El problema es que no reservamos tiempo para nuestros valores. Sin querer, dedicamos demasiado tiempo a un área de nuestra vida a costa de las demás. Nos esforzamos en el trabajo a costa de no vivir de acuerdo con nuestros valores en familia o con nuestras amistades. Si nos dejamos la piel cuidando de nuestros hijos, descuidamos nuestro cuerpo, mente y amistades, y nos privamos de ser las personas que deseamos ser. Si desatendemos permanentemente nuestros valores, nos convertimos en algo de lo que no estamos orgullosos, nuestra vida nos resulta desequilibrada y reducida. Lo irónico es que esta sensación desagradable nos hace más propensos a buscar distracciones para huir de la insatisfacción sin llegar a resolver el problema.

Sean cuales sean nuestros valores, resulta útil categorizarlos en distintos ámbitos vitales, un concepto que tiene miles de años de antigüedad. El filósofo estoico Hierocles demostró la naturaleza interconectada de nuestra vida con círculos concéntricos que ilustran el equilibrio jerárquico de las obligaciones.[4] Situó el cuerpo y la mente humanos en el centro, seguidos de cerca por la familia, en el anillo siguiente; después la familia extensa; después los miembros de la misma tribu, los habitantes de tu pueblo o ciudad, los compatriotas y, por último, toda la humanidad en el anillo exterior.

ESFERAS VITALES

TRABAJO

RELACIONES

TÚ

Las tres esferas vitales: tú, tus relaciones y tu trabajo.

Inspirado por su ejemplo, he creado una forma de simplificar y visualizar las tres esferas vitales a las que dedicamos nuestro tiempo:

Estas tres esferas resumen en qué invertimos nuestro tiempo. Nos proporcionan un modo de pensar en cómo planificar nuestros días para convertirnos en un auténtico reflejo de la persona que queremos ser.

Para vivir en consonancia con nuestros valores en cada uno de estos ámbitos, debemos reservar tiempo en nuestro horario. Solo si reservamos un periodo concreto en nuestro horario para conseguir tracción (las acciones que tiran de nosotros hacia lo que queremos en la vida) podremos dar la espalda a la distracción. Sin planificación previa, es imposible ver la diferencia entre tracción y distracción.

No puedes decir que algo es una distracción
a menos que sepas de qué te está distrayendo.

Sé que a muchos nos da repelús la idea de tener un horario porque no queremos sentirnos limitados, pero, aunque parezca mentira, nuestro desempeño mejora cuando nos imponemos restricciones.[5] Esto se debe a que las limitaciones nos proporcionan estructura, mientras que un horario en blanco y una lista de tareas kilométrica nos atormentan con demasiadas opciones.

La manera más eficaz de asignar tiempo para ganar tracción es mediante las «cajas de tiempo». Las cajas de tiempo son una técnica sustentada por una gran cantidad de investigación que los psicólogos definen como «establecer una intención de implementación», que es una forma bonita de decir: «decidir qué vas a hacer y cuándo piensas hacerlo».[6] Es una técnica que puede usarse para reservar tiempo para lograr tracción en todas las esferas vitales.

El objetivo es eliminar todo el espacio en blanco
de tu horario, hasta obtener una plantilla
de cómo pretendes invertir tu tiempo cada día.

Lo que importa no es tanto qué haces con tu tiempo, sino que el éxito se mide en función de si has hecho lo que habías planeado. No pasa nada por ver un vídeo, pasar el rato en redes sociales, fantasear o echarse una siesta, siempre y cuando eso sea lo que tenías planeado hacer. Del mismo modo, consultar el correo electrónico del trabajo, que podría parecer una tarea productiva, es una distracción si lo haces cuando tenías previsto dedicar tiempo a tu familia o preparar una presentación. Tener un horario con cajas de tiempo es la única manera de saber si te estás distrayendo. Si no estás dedicando tu tiempo a hacer lo que habías planeado, te estás desviando.

Para crear un horario semanal con cajas de tiempo, primero tendrás que decidir cuánto tiempo quieres dedicar a cada esfera de tu vida. ¿Cuánto tiempo quieres dedicarte a ti mismo, a las relaciones importantes y al trabajo? Ten en cuenta que «trabajo» no alude únicamente al asalariado. La esfera del trabajo puede incluir servicios a la comunidad, activismo y proyectos paralelos.

¿Cuánto tiempo necesita cada esfera para cumplir con tus valores? Empieza creando una plantilla de horario semanal con tu semana perfecta. Encontrarás una en blanco al final del libro y una herramienta gratuita en línea (en inglés) en <NirAndFar.com/Indistractable>.

Después, reserva quince minutos de tu horario todas las semanas para reflexionar y pulir tu calendario planteándote dos preguntas:

Pregunta 1 (reflexiona): «¿En qué momentos de mi horario hice lo que dije que haría y en qué momentos me distraje?». Responder a esta pregunta te obliga a echar la vista atrás a la semana anterior. Te recomiendo que utilices el monitor de distracciones que encontrarás al final del libro para ver cuándo y por qué te distraes, siguiendo las recomendaciones del doctor Bricker de detectar tu disparador interno que hemos visto en el capítulo 6.

Si te distrae un disparador interno, ¿qué estrategias usarás para afrontarlo la próxima vez? ¿Ha habido un disparador externo, como una llamada telefónica o un compañero de trabajo hablador, que te ha empujado a dejar de hacer lo que querías? (Abordaremos tácticas de control de los disparadores externos en la tercera parte.) ¿O te distrajo un problema de planificación? En tal caso, puedes revisar tu monitor de distracciones para que te ayude a responder a la siguiente pregunta.

Pregunta 2 (pule): «¿Puedo hacer algún cambio en mi horario para tener el tiempo que necesito para vivir en consonancia con mis valores?». Quizá surgió algo inesperado, o quizá la planificación de tu día tenía algún problema. Las cajas de tiempo nos permiten afrontar cada semana como un miniexperimento. El objetivo es averiguar en qué puntos falló tu horario la semana anterior para que te resulte más sencillo seguirlo la siguiente. La idea es comprometerse con una práctica que mejora tu horario con el tiempo, ayudándote a advertir la diferencia entre tracción y distracción en cada momento del día.

Cuando nuestra vida cambia, nuestro horario también. Pero, una vez que se establece, la idea es ceñirse a él hasta decidir mejorarlo en la siguiente vuelta. Abordar el ejercicio de elaborar un horario con la mentalidad de un científico curioso, en lugar de como un sargento de hierro, nos concede la libertad de mejorar en cada iteración.

En esta sección, veremos cómo hacer tiempo para la tracción en las tres esferas vitales. También hablaremos de cómo alinear las expectativas sobre a qué vas a dedicar el tiempo con las demás partes interesadas de tu vida, como compañeros de trabajo y jefes.

Antes de seguir, piensa en cómo es tu horario en estos momentos. No te pregunto por las cosas que hiciste, sino por las cosas que te comprometiste por escrito a hacer. ¿Tienes el horario lleno de planes cuidadosamente distribuidos en cajas de tiempo o está mayormente vacío? ¿Es un reflejo de quien eres? ¿Estás permitiendo que los demás te roben el tiempo o lo proteges como el recurso valioso y limitado que es?

Al convertir nuestros valores en tiempo, nos aseguramos de permitir la tracción. Si no planificamos, no podemos señalar con dedo acusatorio ni sorprendernos de que todo se convierta en una distracción. Ser inmune a la distracción va sobre todo de asegurarse de reservar tiempo para la tracción cada día y eliminar las distracciones que te impiden vivir la vida que quieres: una en la que cuidas de ti, de tus relaciones y de tu trabajo.

RECUERDA

- **No puedes decir que algo es una «distracción» a menos que sepas de qué te está distrayendo.** Planificar es la única manera de ver la diferencia entre tracción y distracción.
- **¿Tu horario refleja tus valores?** Para ser la persona que quieres ser, debes tener tiempo para vivir según tus valores.
- **Distribuye tu día en cajas de tiempo.** Las tres esferas vitales, tú, tus relaciones y tu trabajo, proporcionan un marco para planificar a qué dedicas tu tiempo.
- **Reflexiona y afina.** Revisa tu horario con regularidad, pero, una vez lo tengas, tienes que cumplirlo.

10

Controla lo que haces, no el resultado

ESFERAS VITALES

TRABAJO

RELACIONES

TÚ

En esta representación visual de tu vida, tú estás en el centro de las tres esferas. Como todas las cosas valiosas, requiere mantenimiento y cuidados, lo que implica tiempo. Del mismo modo que no te saltarías una reunión con tu jefe, nunca deberías dejar de lado los compromisos contigo. Al fin y al cabo, ¿qué hay más importante que tú para vivir la vida que quieres?

Hacer ejercicio, dormir, comer de manera saludable y dedicar tiempo a leer o a escuchar un audiolibro son formas de invertir en nosotros. Algunas personas valoran la atención plena, la conexión espiritual o la reflexión, y pueden querer tener tiempo para rezar o meditar. Otras valoran la habilidad y quieren tener tiempo para practicar una afición por su cuenta.

Cuidarte está en el centro de las tres esferas, porque las otras dos dependen de tu salud y bienestar. Si no te cuidas, tus relaciones se resienten. Del mismo modo, tu trabajo no es óptimo cuando no te has concedido el tiempo que necesitas para cuidar de tu salud física y mental.

Podemos empezar priorizando el tiempo que te dedicas y distribuyéndolo en bloques. En un nivel básico, necesitamos dedicar tiempo a dormir, a nuestra higiene y a alimentarnos correctamente. Aunque cubrir estas necesidades puede parecer sencillo, tengo que reconocer que, antes de aprender a hacer cajas de tiempo, me quedaba demasiados días hasta tarde en el trabajo y después compraba una hamburguesa doble con queso y patatas, con un delicioso batido de chocolate, para cenar. Adiós al estilo de vida saludable que imaginaba para mí.

Al reservar tiempo para vivir según tus valores en la esfera «tú», tendrás tiempo para reflexionar sobre tu horario y visualizar las cualidades de la persona que quieres ser. Con un cuerpo y una mente fuertes, también es mucho más probable que cumplas tus promesas.

Quizá pienses: «Todo eso de organizarme un horario para mí está muy bien, pero ¿qué pasa cuando no logras lo que quieres aunque reserves tiempo para ello?».

En una época de mi vida, empecé a despertarme a las tres de la madrugada todos los días. A lo largo de los años había leído muchos artículos sobre la importancia del descanso y sabía que las investigaciones eran unánimes: necesitamos sueño de calidad.[1] Yo daba vueltas y vueltas en la cama, disgustado por no estar siguiendo mi plan de planchar la oreja entre siete y ocho horas. Lo había puesto en el horario, así que ¿por qué no estaba dormido? Resulta que el sueño no era algo que controlara al cien por cien. No podía evitar el hecho de que mi cuerpo eligiera despertarse, pero sí podía decidir cómo reaccionar al respecto.

Al principio, hice lo que hacemos muchos cuando las cosas no salen como habíamos previsto: me asusté. Me quedaba tumbado en la cama pensando en lo malo que era no estar durmiendo y en lo grogui que estaría por la mañana, y entonces me ponía a pensar en todo lo que tenía que hacer al día siguiente. Me sumergía en esos pensamientos hasta que no podía pensar en nada más. Irónicamente, no me dormía, porque me preocupaba no poder dormirme: una causa habitual de insomnio.[2]

Cuando comprendí que mi rumiación era una distracción en sí misma, empecé a abordarla de una forma más sana. En concreto, si me despertaba, me repetía un mantra sencillo: «El cuerpo coge lo que el cuerpo necesita». Ese sutil cambio de mentalidad me aliviaba la presión, porque hacía que dormir dejara de ser una obligación. Mi trabajo era proporcionar a mi cuerpo el tiempo y el lugar adecuados para descansar, lo que pasara después quedaba fuera de mi control. Empecé a ver mis despertares nocturnos como una oportunidad para leer con mi Kindle y dejar de preocuparme por volverme a dormir.* Me decía que, si no estaba lo bastante cansado para volverme a dormir inmediatamente, era porque mi cuerpo ya había descansado suficiente. Dejaba que mi mente se relajara sin preocupaciones.

Ves hacia dónde va esto, ¿no? Cuando dejé de rumiar, mis noches insomnes se acabaron. Al cabo de poco tiempo, empecé a volverme a dormir en pocos minutos.

Aquí hay una lección importante que va más allá de dormir suficientes horas. Lo que tienes que recordar, cuando hablamos de nuestro tiempo, es que tenemos que dejar de preocuparnos por lo que no podemos controlar y empezar a centrarnos en lo que sí podemos. Los resultados positivos que obtenemos cuando dedicamos tiempo a hacer algo son una esperanza, no una certeza.

Lo que sí podemos controlar es el tiempo
que dedicamos a una tarea.

Ser capaz de dormirme en un momento dado o tener una idea trascendental para mi siguiente libro al sentarme a trabajar no es algo que dependa por completo de mí, pero

---

* El lector de libros electrónicos Kindle es menos dañino para el sueño que otros dispositivos. Anne-Marie Chang, Daniel Aeschbach, Jeanne F. Duffy y Charles A. Czeisler, «Evening Use of Light-Emitting EReaders Negatively Affects Sleep, Circadian Timing, and Next-Morning Alertness», *Proceedings of the National Academy of Sciences* 112, n.º 4 , 27 de enero de 2015, p. 1232, <https://doi.org/10.1073/pnas.1418490112>.

una cosa es segura: no haré lo que quiero hacer si no estoy en el lugar adecuado en el momento adecuado, da igual si es en la cama cuando quiero dormir o en mi escritorio cuando quiero hacer un buen trabajo. Si no estoy, el fracaso está asegurado.

Tendemos a pensar que podemos resolver nuestros problemas de distracción intentando hacer más cosas a cada minuto, pero, a menudo, el problema real es que no nos damos tiempo para hacer lo que hemos dicho que haríamos. Al usar cajas de tiempo y cumplir con ellas a rajatabla, serás fiel a las promesas que te hagas.

RECUERDA

- **El primer tiempo que debes incluir en tu horario es el tiempo para ti.** Tú estás en el centro de las tres esferas vitales. Si no reservas tiempo para ti, las otras dos esferas sufrirán las consecuencias.
- **Haz lo que dijiste que harías.** No siempre puedes controlar el resultado del tiempo que dedicas a algo, pero sí puedes decidir cuánto tiempo dedicas a una tarea.
- **Es mucho más factible controlar lo que haces que el resultado.** Cuando hablamos de vivir la vida que quieres, en lo único en lo que tienes que centrarte es en organizar tu tiempo según tus valores.

11

Programa las relaciones importantes

ESFERAS VITALES

TRABAJO

RELACIONES

TÚ

Familia y amigos nos ayudan a vivir nuestros valores de conexión, lealtad y responsabilidad. Ellos te necesitan y tú a ellos, porque está claro que son mucho más que meros «beneficiarios residuales», un término que aprendí en una clase de Introducción a la economía. En el mundo de los negocios, un beneficiario residual es el pringado que tiene que conformarse con las sobras, si las hay, cuando se liquida una empresa; en general, no gran cosa. En la vida, nuestros seres queridos merecen algo mejor y, sin embargo, si no prestamos atención a cómo planificamos nuestro tiempo, se convierten exactamente en beneficiarios residuales.

Uno de los valores más importantes para mí consiste en ser un padre cariñoso, implicado y divertido. Aunque aspiro a vivir en consonancia con él, estar del todo presente como padre no siempre es lo más «cómodo». Un correo electrónico de un cliente que me informa de que mi página web se ha caído; un mensaje de texto del fontanero que dice que ha habido una avería en el tren que lo traía a casa y que vamos a tener que buscar otro día; una notificación de mi banco sobre un cargo inesperado en mi tarjeta. Mientras tanto, mi hija está ahí sentada, esperando a que juegue mi carta en la partida de Uno.

Para combatir este problema, reservo tiempo en mi horario semanal para ella. Del mismo modo que reservo tiempo para reuniones de negocios o para mí, bloqueo algunas de mis horas para estar con ella. Para asegurarme de que siempre vamos a tener algo divertido que hacer, pasamos una tarde escribiendo más de cien actividades en nuestra ciudad, cada una en un papelito. Después, los enrollamos y los pusimos dentro de nuestro «frasco de la diversión». Ahora, cada viernes por la tarde, sacamos una actividad del frasco y la hacemos. A veces vamos a un museo, mientras que otras jugamos en el parque o vamos a una heladería con muy buenas referencias que está en la otra punta de la ciudad. Ese tiempo es solo para nosotros.

Si soy sincero, la idea del frasco de la diversión no siempre funciona tan bien como me gustaría. Cuesta sacar la energía para ir al parque cuando estamos a temperaturas bajo cero en Nueva York. Esos días, una taza de chocolate caliente y leer un par de capítulos de *Harry Potter* nos suena más apetecible. Pero lo importante aquí es que he convertido en una prioridad de mi horario semanal vivir en consonancia con mis valores. Contar con ese tiempo en mi horario me permite ser el padre que quiero ser.

Del mismo modo, mi mujer, Julie, y yo nos aseguramos de tener tiempo el uno para el otro. Dos veces al mes, planeamos una cita especial. A veces vamos a ver algún espectáculo en vivo o nos damos el capricho de probar un restaurante exótico. Pero, sobre todo, nos dedicamos a pasear y charlar durante horas. Independientemente de qué hagamos, sabemos que esas horas están ancladas con firmeza en nuestros horarios y que no se van a ver comprometidas. En ausencia de este tiempo reservado para estar juntos, es muy fácil que llenemos nuestros días de recados, como ir a hacer la compra o limpiar la casa. Mi tiempo reservado con Julie me permite poner en práctica mi valor de intimidad. No puedo abrirme con nadie como con ella, pero eso solo puede suceder si reservamos tiempo.

La igualdad es otro valor en mi matrimonio. Siempre había pensado que mi comportamiento se ceñía a él. Me equivocaba. Antes de que mi esposa y yo tuviéramos un horario claro, nos peleábamos porque determinadas tareas domésticas no se hacían. Diversos estudios muestran que, en las parejas heterosexuales, los maridos no asumen una cantidad justa de tareas del hogar, y, tristemente, debo reconocer que yo era uno de ellos.[1] Darcy Lockman, psicóloga de Nueva York, escribió en *The Washington Post*: «Las mujeres que trabajan fuera de casa, cuyas parejas son hombres que también trabajan fuera de casa, asumen el 65 por ciento de las responsabilidades relacionadas con el cuidado de los hijos, una cifra que se ha mantenido estable desde el cambio de siglo».[2]

Pero, al igual que muchos hombres a los que Lockman entrevistó para su investigación, yo ignoraba hasta cierto punto las cosas de las que se encargaba mi mujer. Como le contó una madre a Lockman:

> Él está con el móvil o el ordenador mientras yo voy por ahí como una loca recogiendo las cosas de los niños y haciendo la colada. Él se toma el café por las mañanas leyendo en el teléfono mientras yo preparo tápers, la ropa para nuestra hija, y ayudo a nuestro hijo con los deberes. Y él se queda ahí sentado. No lo hace a propósito. No es consciente de lo que pasa a su alrededor. Si le pregunto al respecto, se pone a la defensiva.

Es como si Lockman hubiera entrevistado a mi esposa. Pero, si mi mujer quiere que la ayude, ¿por qué no me lo pide? Más tarde, entendí que averiguar en qué podía ayudar era un trabajo en sí. Julie no iba a decirme en qué podía ayudarla porque ya tenía un montón de cosas en la cabeza. Ella quería que yo tomara la iniciativa, que saltara al ruedo y empezara a ayudar. Pero yo no sabía cómo. No tenía ni idea, así que o me quedaba ahí plantado sin entender nada o me ponía a hacer otra cosa. Hubo demasiadas tardes así, que acabaron en cenas tardías, sentimientos heridos y, a veces, lágrimas.

Durante una de nuestras citas, nos sentamos e hicimos una lista de las tareas del hogar que hacía cada uno, asegurándonos de no dejarnos nada. Comparar la lista de Julie (que parecía interminable) y la mía fue un toque de atención que me indicó que debía revisar mi valor de igualdad en el matrimonio. Acordamos repartirnos las tareas del hogar y, lo que es más importante, reservamos tiempo en nuestros horarios para ellas, para no tener dudas al respecto de cuándo hacerlas.

Trabajar para dividirnos las tareas de una forma más equitativa restauró la integridad de mi valor de igualdad en el matrimonio, lo que también aumentó la probabilidad de tener una relación larga y feliz. La investigación de Lockman confirma este beneficio: «Cada vez más investigaciones del ámbito familiar y clínico demuestran que la igualdad en el matrimonio promueve su éxito y que la desigualdad lo mina».

No hay duda de que reservar tiempo para la familia y asegurarme de que dejaban de ser beneficiarios residuales de mi tiempo mejoró muchísimo mi relación con mi esposa y mi hija.

Las personas a quienes más queremos no deberían conformarse con el tiempo que nos sobre. Todo el mundo gana cuando tenemos tiempo en nuestro horario para vivir según nuestros valores y hacer la parte que nos toca.

Esta esfera va más allá de la familia. No reservar tiempo para las relaciones importantes de nuestra vida es más dañino de lo que la mayoría cree. Estudios recientes han hallado que la escasez de interacciones sociales no solo conduce a la soledad sino que también está relacionada con una serie de efectos perjudiciales para el organismo. De hecho, la falta de amistades íntimas puede suponer un peligro para la salud.

Puede que la prueba más convincente de que las amistades afectan a la longevidad proceda del Estudio Harvard sobre el Desarrollo en Adultos. Este estudio, aún en curso, sigue desde 1938 los hábitos sociales y de salud de 724 hombres.[3] Robert Waldinger, su actual director, declaró en una charla TEDx: «El mensaje más claro que obtenemos de estos 75 años de estudio es: las buenas relaciones nos hacen ser más felices y estar más sanos. Punto». Las personas desconectadas socialmente son, según Waldinger: «menos felices, su salud empeora antes en la mediana edad, su función cerebral se deteriora antes [y] sus vidas son más cortas que las de quienes no están solas».[4] Waldinger advierte: «Esto no va solo de la cantidad de amigos que tengas [...] Lo que importa aquí es la calidad de tus relaciones cercanas».

¿Qué es una amistad de calidad? William Rawlins, profesor de Comunicación interpersonal en la Universidad de Ohio que estudia cómo interactúan las personas a lo largo de la vida, explicó a *The Atlantic* que las amistades satisfactorias requieren tres cosas: «alguien con quien hablar, alguien con quien poder contar y alguien con quien disfrutar».[5] A menudo, cuando somos jóvenes, encontrar a alguien con quien hablar, con quien poder contar y con quien disfrutar es algo que sucede de forma natural, pero, a medida que avanzamos hacia la edad adulta, el modelo para mantener las amistades se desdibuja. Acabamos la carrera, nuestros caminos se separan, empezamos a trabajar y creamos vidas nuevas a kilómetros de distancia de nuestros mejores amigos.

De repente, las obligaciones y ambiciones laborales tienen prioridad sobre ir a tomar una cerveza con nuestras amistades. Si los hijos irrumpen en escena, las noches de fiesta por la ciudad se convierten en noches de agotamiento en el sofá. Por desgracia, cuanto menos tiempo invertimos en las demás personas, más fácil es ir tirando sin ellas, hasta que un día resulta demasiado raro intentar reconectar.

Así es como se extinguen las amistades:
mueren de hambre.

Pero, como revelan las investigaciones, al matar de hambre a nuestras amistades, también desnutrimos nuestro cuerpo y nuestra mente. Si el alimento de la amistad es pasar tiempo juntos, ¿cómo lo creamos para asegurarnos de comer bien?

A pesar de tener el horario apretado y de los hijos, mis amigos y yo hemos desarrollado una rutina social que nos asegura quedar regularmente. Lo llamamos «kibutz», que en hebreo significa «reunión». En nuestras reuniones, cuatro parejas, incluidos mi esposa y yo, nos vemos cada dos semanas para hablar de un tema en torno a un pícnic. El tema puede variar desde una pregunta vital profunda como: «¿Qué agradeces que te enseñaran tus padres?» hasta asuntos más prácticos como: «¿Deberíamos presionar a nuestros hijos para que aprendan cosas que no quieren, como tocar el piano?».

Tener un tema nos ayuda en dos frentes: en primer lugar, nos da pie para ir más allá de la charla superficial sobre deportes y el tiempo, y nos ofrece la oportunidad de abrirnos sobre cuestiones que de verdad nos importan; en segundo, evita la división por géneros que a menudo se produce cuando se reúnen parejas, los hombres a un lado y las mujeres al otro. Tener una pregunta del día nos ayuda a hablar todos juntos.

El elemento más importante de la reunión es su constancia; llueva o haga sol, el kibutz aparece en el calendario semana sí y semana no, a la misma hora, en el mismo sitio. No hay correos electrónicos para acordar los detalles logísticos. Para que la cosa sea aún más fácil, cada pareja lleva su propia comida, así no hay que preparar ni recoger nada. Si una pareja no puede ir, no pasa nada, el kibutz sigue adelante según lo planeado.

Las reuniones duran unas dos horas, y siempre salimos de allí con nuevas ideas y perspectivas. Y, lo que es más importante, me siento más cerca de mis amigos. Dada la relevancia de las relaciones cercanas, resulta esencial planificar con antelación. Saber que hay un tiempo reservado para el kibutz nos asegura que se producirá.

Da igual qué tipo de actividad cubra tu necesidad de amistad, es imprescindible reservar tiempo en tu horario para ella. El tiempo que pasamos con nuestros amigos no solo es placentero, es una inversión en nuestra salud y nuestro bienestar futuros.

RECUERDA

- **Tus seres queridos merecen más que conformarse con el tiempo que te sobra.** Si alguien es importante para ti, reserva tiempo para esa persona de forma regular en tu horario.
- **Programa algo más que días de cita con tu pareja.** Incluye las tareas domésticas en el horario y asegúrate de que están divididas equitativamente.
- **La falta de amistades íntimas puede suponer un riesgo para la salud.** Asegúrate de cuidar tus relaciones importantes reservando tiempo para reuniros con regularidad.

12

Sincronízate con las demás partes interesadas en el trabajo

ESFERAS VITALES

TRABAJO

RELACIONES

TÚ

A diferencia de lo que sucede con las otras esferas vitales, no tengo que recordarte que debes reservar tiempo para el trabajo. Seguramente, en este caso, no tienes mucha opción. Dado que es probable que el trabajo te ocupe más horas del día que cualquier otra esfera, resulta aún más importante que te asegures de que el tiempo que le dedicas es coherente con tus valores.

El trabajo puede ayudar a las personas a vivir sus valores de colaboración, diligencia y persistencia. También nos permite invertir tiempo en algo significativo cuando trabajamos en beneficio de otras personas, como clientes o una causa importante. Por desgracia, muchos nos encontramos con que nuestras jornadas laborales son desorganizadas y frenéticas, con interrupciones constantes, reuniones innecesarias y un sinfín de correos electrónicos en la bandeja de entrada.

Afortunadamente, esto no tiene por qué ser así. Podemos hacer más y vivir mejor si dejamos claros nuestros valores y expectativas a los compañeros de trabajo. Explicar a qué dedicamos el tiempo en el trabajo promueve y refuerza una cualidad central de las relaciones laborales positivas: la confianza.

Cada empresa tiene sus propias políticas. Sin embargo, en lo relativo a la gestión que cada empleado hace de su carga de trabajo, muchos gerentes no tienen mucha idea de a qué dedican el tiempo sus compañeros. Y, del mismo modo, puede que una de las cosas que menos claras tienen los empleados es a qué deberían dedicar su tiempo, tanto dentro como fuera del trabajo. ¿Deberían responder a demandas fuera de su horario laboral? ¿Hasta qué punto? ¿Están obligados a tomarse una copa con sus compañeros después del trabajo o a acudir a otros eventos de «diversión obligatoria»? ¿Clientes y gerentes esperan que los empleados cumplan con encargos de última hora? ¿Tienen que avisar a sus parejas de que llegarán tarde los días que los ejecutivos de la empresa se dejan caer por la sucursal?

Estas preguntas son importantes, porque afectan de manera directa a nuestros horarios y, en consecuencia, al tiempo que tenemos para otras esferas vitales. Una encuesta reciente halló que el 83 por ciento de los profesionales asalariados revisan su correo electrónico fuera del horario laboral.[1] El mismo estudio indica que dos tercios de los participantes se llevan de vacaciones dispositivos relacionados con el trabajo, como ordenadores portátiles y *smartphones*. Y alrededor de la mitad afirmaron haber enviado correos electrónicos laborales durante comidas o cenas en familia o con amigos.

Quedarse hasta tarde en el trabajo o sentirse presionado para responder a mensajes fuera del horario laboral implica pasar menos tiempo con la familia y las amistades o haciendo algo por nuestra cuenta. Si estas demandas acaban superando lo que el empleado aceptó al firmar su contrato, esto puede erosionar la confianza y la lealtad, junto con la salud del empleado y sus relaciones. El problema es que generalmente no sabemos las respuestas a estas preguntas hasta que asumimos el puesto.

También existen muchas incógnitas desde el punto de vista del empleador. Cuando hay tareas y proyectos que llevan más tiempo del previsto y no se cumplen las expectativas, los gerentes se preguntan por qué. ¿Es que su empleado o empleada es poco capaz? ¿Le falta motivación? ¿Está planteándose cambiar de trabajo? ¿A qué dedica sus horas? La respuesta al bajo rendimiento por parte de los gerentes suele ser pedir a sus empleados que hagan más tareas y trabajen más horas. Pero esta reacción típica y habitual exige a los trabajadores que den más de lo que esperaban, lo que pone a prueba la relación laboral y hace que se resistan de formas sutiles.

¿Cómo se manifiesta esa resistencia? Aunque a menudo no lo hacemos a propósito, empezamos a ocuparnos de cosas poco prioritarias, a quedarnos de brazos cruzados en nuestro sitio, a charlar demasiado con los compañeros y, en general, a reducir nuestra productividad.

Otras veces, saboteamos (quizá inconscientemente) a nuestra empresa haciendo pseudotrabajo, tareas que parecen estar alineadas con las prioridades de la empresa pero que en realidad no lo están. (Piensa en ello: dedicar tiempo a proyectos que te gustan, al politiqueo de oficina, a enviar más correos electrónicos o a celebrar más reuniones de las necesarias.) Estas resistencias parecen incrementarse cuantas más horas trabaja la gente. De hecho, algunos estudios han determinado que los trabajadores con jornadas de más de 55 horas semanales ven reducida su productividad;[2] este problema se agrava por el hecho de que cometen más errores y derivan más trabajo improductivo a sus compañeros, lo que se traduce en más tiempo dedicado a hacer aún menos cosas.

¿Cómo se soluciona esta locura?

Usar un horario con cajas de tiempo
muy detallado ayuda a dejar claro el pacto
de confianza central entre empleadores
y empleados.

Mediante revisiones regulares, las dos partes pueden tomar decisiones informadas sobre si el empleado está usando su tiempo adecuadamente y ayudar a que lo dedique a tareas más importantes.

April, una ejecutiva de ventas de publicidad de una gran tecnológica con sede en Manhattan, tenía problemas con su horario. La presión creciente para vender más y hacer más, con vistas a obtener un puesto de dirección, le había agriado el carácter. Esas presiones infectaban el horario de April en forma de más reuniones, más conversaciones imprevistas y más correos electrónicos. Esas tareas adicionales le robaban el tiempo del que disponía para centrarse en sus prioridades: cuidar de los clientes, cerrar más ventas y obtener resultados mucho mejores.

Cuando me reuní con April en su despacho, la vi agotada. Le quedaban dos meses para cerrar más de un tercio de su presupuesto de ventas anual, que era de quince millones de dólares, y vi claramente que tenía la cabeza en otra parte. April temía no alcanzar su objetivo y había llegado a la conclusión de que el problema era ella misma: no se estaba esforzando lo suficiente en el trabajo y, por lo tanto, tenía que hacerlo mejor. En su mente, ese «mejor» era sinónimo de trabajar aún más horas.

Los esfuerzos para ser más productiva estaban amargándole la vida y haciendo que desatendiera sus otras esferas vitales. Pero la productividad en sí misma no era su problema; ella era una persona productiva que sacaba todo el jugo al poco tiempo del que disponía. Su problema era otro: no contaba con un horario con cajas de tiempo porque se regía por la creencia limitante de que el problema era ella y no su gestión del tiempo. «Soy demasiado lenta», me dijo un día mientras comíamos. Pero a April no le pasaba nada. No era lenta, pero carecía de las herramientas de productividad necesarias para su nueva posición.

Aunque al principio no se le daba bien establecer horarios laborales, April subdividió sus jornadas para cumplir con las tareas más importantes que quería llevar a cabo. Lo primero que hizo fue sacar tiempo para el trabajo que requería concentración, consciente de que podría hacer mejores propuestas para nuevos clientes, y en menos tiempo, si no la interrumpían. Cada distracción la frenaba y le hacía más difícil recuperar el tono necesario para cada cliente. Después, reservó un bloque de tiempo para llamadas y reuniones con clientes, seguido de un lapso por las tardes para atender correos electrónicos y mensajes. Animé a April a que compartiera su horario laboral con cajas de tiempo con su jefe, David.

Para su sorpresa, cuando se sentó a comentarlo con él, April descubrió que David apoyaba de manera entusiasta que hubiera decidido ceñirse a un horario diario más organizado. «Él sabía que me estaba quemando en todos los frentes —me contó—. Cuando le propuse tener un horario semanal, pareció aliviado. Me dijo que le resultaba útil saber cuándo podía llamarme o mandarme mensajes en lugar de tener que adivinar si estaba con mi familia.»

Cuando se reunió con David, entendió que muchos de los compromisos que llenaban su horario no eran tan importantes para él, ni de lejos, como el tiempo que dedicaba a cerrar acuerdos. Al descubrir que estaban alineados en esa idea, David se mostró de acuerdo en que ella no tenía por qué acudir a tantas reuniones ni mentorizar a tantas personas, y le aseguró que eso no afectaría negativamente a sus perspectivas de ascenso, siempre y cuando dedicara tiempo a su tarea más importante: aumentar los beneficios.

Para contribuir a su sincronía, April y David decidieron reunirse quince minutos todos los lunes a las once de la mañana. Revisar su horario semanal haría que ambos se aseguraran de que April estaba invirtiendo bien su tiempo y les permitiría tomar las medidas necesarias, si era el caso. Al final de la reunión, April comprendió que podía controlar más sus jornadas laborales y también reducir el tiempo que pasaba enganchada al móvil por la noche, tiempo que recortaba de su vida personal. A April le encantó el resultado: tener una visión detallada de toda la semana respetaba sus valores, redujo sus distracciones y, en última instancia, le proporcionó más tiempo para hacer lo que de verdad quería.

Sin embargo, la historia de April no es aplicable a todo el mundo. Su forma de distribuir el tiempo no te servirá, pero la sincronización de horarios sí es esencial, ya sea con un familiar o un empleador. Alinear con regularidad las expectativas sobre a qué vas a dedicar tu tiempo es primordial, y debe hacerse en periodos de tiempo predecibles y regulares. Si tu horario puede sincronizarse semanalmente, revísalo y confírmalo en ese periodo, pero, si tu horario cambia a diario, adquirir la rutina de hacer una breve reunión diaria con tu jefe os resultará útil a ambos. Si tienes más de un jefe, tener un horario con cajas de tiempo puede ser una forma de estar todos alineados con respecto a qué dedicas tu tiempo. Cuando el horario es transparente, las tareas que se están llevando a cabo dejan de ser un misterio.

Recuerda que el modelo inmune a la distracción tiene cuatro partes. Dominar los disparadores internos es el primer paso y ganar tiempo para la tracción es el segundo, pero hay mucho más que podemos hacer, y estás a punto de aprenderlo. En la quinta parte, nos sumergiremos en el papel que tiene la cultura del lugar de trabajo y en por qué las distracciones persistentes suelen ser un síntoma de disfuncionalidad en la organización. De momento, es importante que no infravalores la sincronización de horarios, una tarea sencilla pero muy eficaz.

Ya sea en el trabajo, en casa o por nuestra cuenta, planificar con antelación y establecer horarios con cajas de tiempo constituye un paso esencial para llegar a ser inmunes a la distracción. Al definir a qué dedicamos nuestro tiempo y sincronizarnos con las partes interesadas de nuestra vida, nos aseguramos de llevar a cabo las cosas que importan y de pasar de las que no. Nos libera de las trivialidades del día a día y nos devuelve un tiempo que no podemos permitirnos perder.

Pero, una vez que hemos recuperado ese tiempo, ¿cómo lo aprovechamos al máximo? Exploraremos esa pregunta en la próxima parte.

RECUERDA

- **Sincronizar nuestro horario con las partes interesadas en el trabajo es básico para reservar tiempo para la tracción en tu jornada laboral.** Si no saben a qué dedicas el tiempo, es más probable que tus compañeros y tus jefes te distraigan con tareas superfluas.
- **Sincroniza tu horario con la misma frecuencia con la que cambia.** Si tu horario cambia todos los días, ten una breve reunión diaria. Sin embargo, para la mayoría, basta con una sincronización semanal.

Tercera parte

MANIPULA A TU FAVOR LOS DISPARADORES EXTERNOS

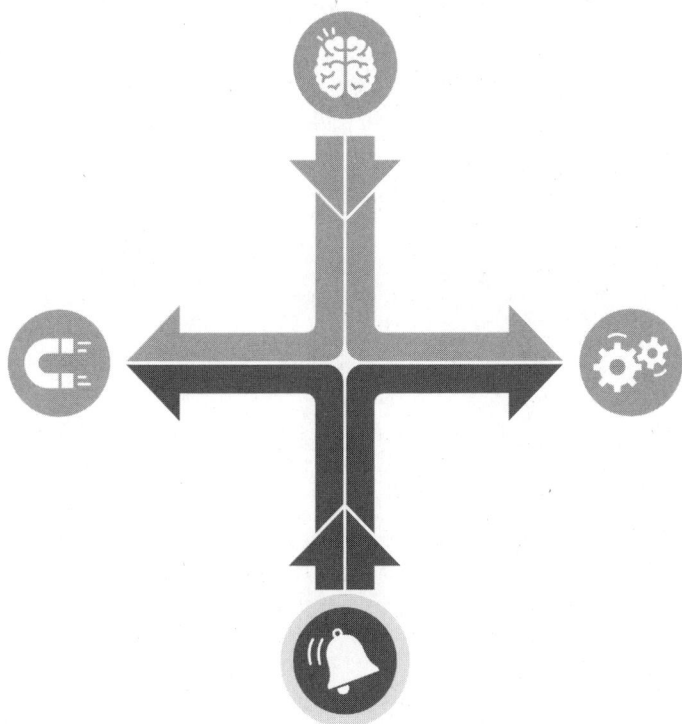

Manipula a tu favor
DISPARADORES EXTERNOS

13

Plantea la pregunta decisiva

Wendy, consultora de *marketing* por cuenta propia, sabía exactamente lo que tenía que hacer durante la siguiente hora en el trabajo. Su horario decía que debía estar en la silla de su despacho a las nueve de la mañana y redactar propuestas para nuevos clientes, la tarea más importante del día. Encendió el portátil y abrió el archivo del nuevo cliente, con ganas de ampliar su negocio. Dio un sorbo a la taza de café que sostenía con ambas manos y le vino a la cabeza una magnífica aportación para su propuesta. «¡Va a ser genial!», pensó.[1]

Pero, antes de que le diera tiempo a escribir su idea, ¡ping!, una notificación del móvil. Al principio, Wendy ignoró la intrusión y anotó unas cuantas palabras, pero entonces el teléfono volvió a sonar con otra notificación. Esta vez, su concentración flaqueó y sintió curiosidad. ¿Y si era un cliente que la necesitaba?

Cogió el móvil y descubrió que había un tuit trivial de un rapero famoso rebotando por sus redes sociales. Al salir de la aplicación, le llamó la atención otro aviso. Su madre le había enviado un mensaje de buenos días. Wendy mandó con un gesto rápido el emoji de un corazón a su madre para que supiera que estaba bien. Anda, ¿y qué era eso? Un globo de notificación rojo vivo sobre la aplicación de contactos profesionales LinkedIn. ¿Quizá la esperaba una nueva oportunidad de negocio? Pues no. Solo era alguien de recursos humanos que había visto su perfil y le había gustado.

Wendy sintió la tentación de contestar, pero vio la hora. Ya eran más de las 9.20 de la mañana y no había avanzado nada en su propuesta. Y lo peor de todo es que había olvidado la gran idea que tantas ganas tenía de añadir. «¿Cómo ha sucedido esto?», se lamentó para sí. A pesar de tener cosas importantes que hacer, Wendy no las estaba haciendo. Una vez más, se había distraído.

¿Te suena? Muchos hemos vivido mañanas así. Sin embargo, la fuente de distracción en esos momentos no es interna. La ubicuidad de los disparadores externos, como notificaciones, pitidos, timbres y alarmas, e incluso otras personas, los hace difíciles de ignorar.

Ha llegado el momento de manipularlos a nuestro favor. Si nuestros cerebros fueran ordenadores, podríamos decir que nuestros dispositivos electrónicos son como piratas informáticos, que se cuelan en ellos sin autorización y nos distraen. Sean Parker, el primer presidente de Facebook, lo reconoció cuando describió que su red social estaba diseñada para manipular nuestro comportamiento. «Es un circuito de validación social que se retroalimenta —dijo—. Exactamente lo que haría un pirata informático como yo, porque lo que hacemos es aprovecharnos de una vulnerabilidad de la psicología humana.»[2]

Para empezar a manipular esto a nuestro favor, en lugar de ser el objeto de la manipulación, antes debemos entender por qué es tan eficaz el uso que hacen las empresas tecnológicas de los disparadores externos. ¿Cuál es exactamente esa «vulnerabilidad de la psicología humana» que describió Parker y que nos hace susceptibles a los disparadores externos que tan a menudo nos distraen?

En 2007, B. J. Fogg, fundador del Laboratorio de Tecnología Persuasiva de la Universidad de Stanford, impartió una asignatura sobre «persuasión interpersonal de masas». Varios alumnos suyos se forjaron luego una carrera profesional aplicando sus métodos en empresas como Facebook y Uber. Mike Krieger, cofundador de Instagram, creó un prototipo de la aplicación para la asignatura de Fogg que acabó vendiendo por mil millones de dólares.

Como alumno de la Escuela de Negocios de Stanford en esa época, asistí a un retiro en casa de Fogg, donde profundizó en sus métodos de persuasión. Aprender de él de primera mano supuso para mí un punto de inflexión en mi comprensión del comportamiento humano. Me enseñó una nueva fórmula que cambió mi forma de ver el mundo.

El modelo de comportamiento de Fogg afirma que, para que se produzca un comportamiento (C), tienen que confluir tres elementos: motivación (M), capacidad (C) y un disparador (D). Resumiendo: C = MCD.

Según Edward Deci, profesor de Psicología de la Universidad de Rochester, en Nueva York, la motivación es «la energía para la acción».[3] Cuando sentimos una gran motivación, tenemos un deseo potente y la energía necesaria para pasar a la acción y, cuando no sentimos motivación, carecemos de la energía necesaria para hacer la tarea. Por otro lado, en la fórmula de Fogg, la capacidad está conectada con la facilidad de llevar a cabo la acción. Es muy sencillo: cuanto más cuesta hacer algo, menos probable es que la gente lo haga. Del mismo modo, cuanto más sencillo es hacer algo, más probable es que lo hagamos.

Cuando las personas tienen la suficiente motivación y capacidad, están predispuestas a un comportamiento determinado. Sin embargo, sin un tercer componente básico, este no tendrá lugar. Siempre hace falta un disparador que nos indique qué hacer a continuación. Ya hemos hablado de los disparadores internos, pero, en lo relativo a los productos que usamos a diario y las interrupciones que nos distraen, los disparadores externos, estímulos de nuestro entorno que nos hacen actuar, tienen un papel muy relevante.

Hoy en día, la mayoría de las distracciones
a las que nos enfrentamos están relacionadas
con disparadores externos.

«Cuando BlackBerry lanzó la notificación de correo electrónico en 2003, los usuarios lo celebraron: ya no tendrían que consultar constantemente su bandeja de entrada por miedo a perderse algún mensaje importante. Cuando te llegue un correo electrónico, prometía BlackBerry, tu teléfono te avisará», escribió David Pierce en la revista *Wired*.[4] Apple y Google no tardaron en seguir el ejemplo e integraron las notificaciones en los sistemas operativos de sus móviles. «De repente, cualquiera que quisiera llamar tu atención, tenía una forma de hacerte saltar sobre el teléfono —seguía Pierce—. Las notificaciones *push* eran el sueño de cualquier experto en *marketing*: funcionalmente son indistinguibles de un mensaje de texto o un correo electrónico si no las atiendes, de modo que, antes de ignorarlas, tienes que mirarlas.»

Revisar esas notificaciones tiene un precio muy elevado. Los disparadores externos pueden desviarnos por completo de nuestras tareas planificadas. Los investigadores han hallado que, cuando se interrumpe a una persona durante una tarea, esta tiende a intentar compensar el tiempo perdido trabajando más deprisa, pero el precio son niveles de estrés y frustración más elevados.[5]

Cuanto más respondemos a los disparadores externos, más entrenamos a nuestro cerebro para funcionar en un bucle sin fin de estímulo y respuesta. Nos condicionamos para responder al instante. Pronto nos parece imposible hacer lo que teníamos planeado, porque estamos constantemente reaccionando a disparadores externos en lugar de atendiendo a lo que tenemos delante.

Quizá la respuesta sea ignorar los disparadores externos sin más. Quizá si no reaccionamos a las notificaciones, las llamadas telefónicas y las interrupciones, podamos ir a lo nuestro y detener rápido las distracciones cuando se produzcan.

Para el carro. Un estudio publicado en el *Journal of Experimental Psychology: Human Perception and Performance* determinó que recibir una notificación en el móvil y no responder a ella nos distraía tanto como hacerlo.[6] De un modo similar, los autores de un estudio que se hizo en la Universidad de Texas en Austin, sugirieron que «la mera presencia del *smartphone* puede suponer una "sangría cerebral", porque los limitados recursos atencionales de que disponemos se dedican a inhibir la atención automática que prestamos a nuestro teléfono, lo que nos impide centrarnos en la tarea que estamos haciendo». Al tener el teléfono dentro del campo visual, tu cerebro debe esforzarse mucho para ignorarlo, pero si tu teléfono no está a mano o a la vista, tu cerebro puede concentrarse en lo que está haciendo.

Afortunadamente, no todos los disparadores externos son perjudiciales para tu atención. Y podemos usarlos a nuestro favor de muchas maneras. Por ejemplo, los mensajes de texto breves con palabras de ánimo resultan eficaces para dejar de fumar.[7] Un metaestudio sobre intervenciones en diez países concluyó que «la evidencia respalda de forma inequívoca la eficacia de las intervenciones mediante mensajes de texto para reducir el comportamiento del consumo de tabaco».[8]

El problema es que, a pesar de los posibles beneficios de los disparadores externos, recibir demasiados puede causar estragos en nuestra productividad y en nuestra felicidad. Entonces ¿cómo podemos diferenciar los disparadores externos buenos de los malos? El secreto reside en responder a una pregunta decisiva:

¿Este disparador está a mi servicio
o estoy yo al suyo?

Recuerda que, como describe el modelo de Fogg, cualquier comportamiento precisa tres cosas: motivación, capacidad y un disparador. La buena noticia es que eliminar los disparadores externos que no nos ayudan es un primer paso sencillo para empezar a controlar las distracciones no deseadas.

Cuando pedí a Wendy, la consultora de *marketing* con problemas de concentración, que se planteara la pregunta decisiva, esto la empoderó para comenzar a poner en su sitio los disparadores externos que no la ayudaban. Logró empezar a decidir por sí misma qué disparadores le proporcionaban tracción en lugar de permitir que fueran otros quienes controlaran su atención.

Al observarlos a través de la lente de esta pregunta decisiva, los disparadores pueden identificarse como lo que son: herramientas. Bien usadas, pueden ayudarnos a no descarrilar. Si el disparador nos ayuda a hacer lo que habíamos planeado en el horario, nos está ayudando a ganar tracción. Si nos distrae, no nos sirve.

En los siguientes capítulos, vamos a ver formas muy prácticas de manipular nuestra tecnología o nuestro entorno físico para eliminar disparadores externos que no nos ayudan. Manipularemos a nuestro favor nuestros dispositivos de maneras que sus creadores no previeron, pero eso es precisamente lo que queremos, porque la tecnología debería estar a nuestro servicio, y no a la inversa.

RECUERDA

- **Los disparadores externos suelen distraernos.** Señales de nuestro entorno, como pitidos, timbres y otros sonidos de nuestros dispositivos, así como interrupciones de otras personas, suelen hacernos descarrilar.
- **Los disparadores externos no siempre son perjudiciales.** Si un disparador externo nos proporciona tracción, nos sirve.
- **Debemos preguntarnos: ¿este disparador está a mi servicio o estoy yo al suyo?** Así podremos manipular a nuestro favor los disparadores externos.

14

Manipula a tu favor las interrupciones en el trabajo

Se supone que en los hospitales se cura a la gente. ¿Cómo se explica entonces que cuatrocientos mil estadounidenses sufran anualmente daño en ellos por recibir la medicación equivocada? Además del devastador precio en vidas humanas, estos errores que pueden prevenirse tienen un coste extra de 3.500 millones de dólares en gastos médicos.[1] Según el cirujano Martin Makary y su compañero de investigación Michael Daniel, de la Universidad Johns Hopkins: «Si los errores médicos fueran una enfermedad, sería la tercera causa de muerte en Estados Unidos».[2]

Becky Richards formó parte de un equipo especial cuya tarea consistía en desarrollar formas de salvar vidas solucionando el problema de los errores en la medicación en el Centro Médico Kaiser Permanente en San Francisco. Como enfermera, Richards sabía que un buen número de equivocaciones se producían cuando personas con mucha formación y sin mala intención cometían errores muy humanos fruto, a menudo, de un entorno laboral lleno de disparadores externos que las distraían. De hecho, distintos estudios determinaron que las enfermeras experimentaban entre cinco y diez interrupciones cada vez que dispensaban medicación.[3]

Una de las soluciones de Richards no fue muy bien recibida por sus colegas enfermeras, al menos al principio. Propuso que llevaran chalecos de colores llamativos para informar al resto de que estaban dispensando medicación y, por lo tanto, no había que interrumpirlas. «Lo consideraron humillante», afirmó Richards en un artículo en la página web sobre enfermería <RN.com>.[4] Tras la resistencia inicial, halló un grupo de enfermeras de una unidad de oncología cuya tasa de errores era especialmente alta y que buscaban una solución desesperadamente.

Sin embargo, a pesar de la predisposición inicial de las enfermeras, Richards se enfrentó a más objeciones de las previstas. Para empezar, los chalecos naranjas eran «horteras» y algunas se quejaron de que daban mucho calor. Además, atraían interrupciones por parte de médicos que querían saber de qué iba eso de los chalecos. «Nos planteamos seriamente abandonar la idea para siempre, porque a las enfermeras no les gustaba», dijo Richards.

No fue hasta que la administración del hospital pasó a Richards los resultados del experimento cuatro meses después cuando se apreció el impacto de la prueba. La unidad que participó en el experimento de Richards había reducido sus errores un 47 por ciento, todo gracias únicamente a llevar los chalecos y aprender sobre la importancia de tener un entorno libre de interrupciones.

«En ese momento, supimos que no podíamos dar la espalda a los pacientes», añadió Richards. Una a una, las enfermeras empezaron a hablar de aquella práctica, hasta que se extendió por el hospital y a otros centros médicos. Algunos hospitales diseñaron incluso sus propias soluciones, como crear una zona marcada en el suelo como «sagrada», donde las enfermeras preparan la medicación.[5] Otros crearon salas especiales libres de distracciones o cubrieron las ventanillas para que no pudiera interrumpirse el trabajo de las enfermeras.

Emergieron más datos sobre la eficacia de estas prácticas a la hora de reducir los errores desactivando disparadores externos no deseados.

Un estudio en distintos hospitales coordinado por la Universidad de California en San Francisco halló un descenso del 88 por ciento en el número de errores en un periodo de tres años.[6]

Julie Kliger, directora del Programa Universitario de Liderazgo Integrado para Enfermeras, explicó al sitio web de noticias SFGate en 2009 que su inspiración para expandir el programa provino de un lugar inesperado: la industria de la aviación. Se llama la norma de la «cabina estéril», una serie de regulaciones aprobadas en la década de 1980 tras varios accidentes causados por distracciones de pilotos. Las regulaciones prohíben a los pilotos comerciales llevar a cabo ninguna actividad que no sea imprescindible cuando vuelan por debajo de diez mil pies. La regulación prohíbe específicamente «tener conversaciones no esenciales» y también que los auxiliares de vuelo se pongan en contacto con los pilotos durante las maniobras más peligrosas: despegues y aterrizajes.[7]

INMUNE A LA DISTRACCIÓN

«Lo equiparamos a pilotar un 747 —dijo Kliger—. [La zona de distracción peligrosa] para ellos se sitúa por debajo de diez mil pies [...] En el mundo de las enfermeras, es la hora de dar la medicación.» Richards asegura que las enfermeras no solo cometen menos errores cuando llevan los chalecos, sino que también sienten que, al trabajar concentradas, el tiempo pasa más deprisa. Suzi Kim, enfermera del Centro Médico Kaiser Permanente en Los Ángeles, afirmó que, cuando llevan los chalecos, «pensamos con más claridad».

Aunque el impacto de una distracción rara vez es tan letal como en la profesión médica, las interrupciones tienen sin duda un impacto negativo en nuestro desempeño laboral en los trabajos que requieren concentración. Por desgracia, las interrupciones son ubicuas en el entorno laboral actual.

El mal uso del espacio suele ser un factor importante. El 70 por ciento de las oficinas estadounidenses son de planta abierta.[8] En lugar de espacios de trabajo individuales separados por paredes, los trabajadores actuales suelen tener en su línea de visión directa a sus compañeros, la sala de descanso, la recepción y, bueno, podríamos decir que todo.

Las oficinas de planta abierta se pensaron para promover la colaboración. Por desgracia, según un metaestudio de 2016 de más de trescientos artículos, esta tendencia ha dado pie a más distracción.[9] Y, para sorpresa de nadie, estas interrupciones también han demostrado reducir la satisfacción global de los empleados.[10]

Teniendo en cuenta el posible coste de las distracciones para tus capacidades cognitivas, ha llegado el momento de pasar a la acción, como hizo Becky Richards. Aunque no estoy diciendo que te pongas un chaleco naranja fosforescente con las palabras «No molestar» en la oficina, ni voy a insistir en la necesidad de reformas arquitectónicas, sí que voy a proponerte una solución explícita y eficaz para desincentivar las interrupciones por parte de compañeros de trabajo.

Desde mi página web (<NirAndFar.com/Indistractable>) puedes descargar una cartulina. En la parte delantera lleva una petición sencilla para cualquiera que pase por ahí: «Ahora mismo necesito concentrarme; por favor, vuelve dentro de un rato». Pon la cartulina en el monitor de tu ordenador para que tus compañeros sepan que no quieres que

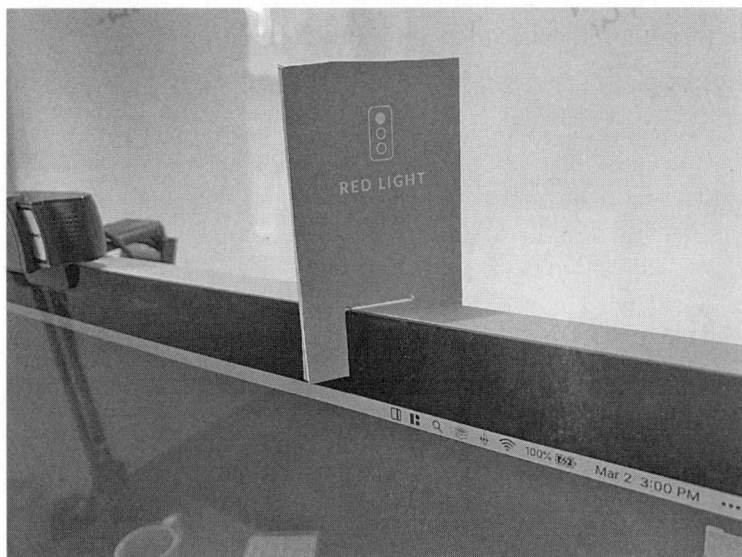

Del mismo modo que los chalecos llamativos reducen los errores en la medicación, una señal en la pantalla indica a tus compañeros de trabajo que no se te puede distraer.

te interrumpan. Lanza un mensaje nada ambiguo de forma mucho más eficaz que usar auriculares.

Aunque cualquiera puede entender la señal en la pantalla, te recomiendo que comentes su finalidad con tus compañeros. Esta conversación podría inspirarlos para hacer lo mismo y puede servir como punto de inicio para que habléis sobre la importancia de trabajar sin distracciones.

Sin embargo, a veces tenemos que ser aún más explícitos a la hora de indicar que queremos pasar un rato sin interrupciones, sobre todo si trabajamos desde casa. Usando los mismos principios para bloquear los disparadores externos no deseados, mi esposa se compró en Amazon una especie de diadema que no pasa desapercibida y que le salió muy barata. Ella la llama la «corona de la concentración», y los leds que le iluminan la cabeza lanzan un mensaje imposible de igno-

Cuando trabajas desde casa, los familiares pueden ser una fuente de distracción. La «corona de la concentración» de mi esposa nos indica que no se la puede distraer.

rar. Cuando se la pone, está diciendo claramente a su hija (y a mí) que no se la interrumpa a menos que sea una emergencia. Funciona a las mil maravillas.

Independientemente de si es un chaleco, un cartel en la pantalla o una corona que se ilumina, la forma de reducir los disparadores externos no deseados por parte de otras personas es indicar con claridad que no quieres que te interrumpan. Hacerlo ayudará a compañeros de trabajo o familiares a frenar y evaluar su propio comportamiento antes de romper tu concentración.

RECUERDA

- **Las interrupciones provocan errores.** No puedes hacer el trabajo de la mejor manera posible si te distraen constantemente.
- **Las oficinas de planta abierta promueven la distracción.**
- **Defiende tu concentración.** Indica que no quieres que te interrumpan. Usa un letrero en la pantalla o cualquier otro indicador claro para que los demás sepan que no se te puede distraer.

15

Manipula a tu favor el correo electrónico

El correo electrónico es la maldición del trabajador moderno. Bastan unos cálculos básicos para constatar la gravedad del problema. El profesional que trabaja en una oficina recibe, de media, cien mensajes al día.[1] A solo dos minutos por correo electrónico, eso suma tres horas y veinte minutos cada día. Si la jornada laboral media es de nueve a cinco, menos una hora para comer, el correo electrónico te roba la mitad del día.

Aunque, siendo realistas, se trata de una estimación muy conservadora, porque esas tres horas y veinte minutos no incluyen el tiempo que perdemos para volver a ponernos con el trabajo después de consultar el correo electrónico. De hecho, un estudio publicado en el *International Journal of Information Management* determinó que el personal de oficina tardaba, de media, 64 segundos en volver a ponerse con lo que estaba haciendo antes de revisar el correo electrónico.[2] Teniendo en cuenta que consultamos nuestros dispositivos cientos de veces al día, esos minutos acaban acumulándose.

Y, si consideras que el tiempo que dedicas al correo electrónico está bien invertido, los investigadores de la *Har-*

vard Business Review han concluido que una cantidad apabu-
llante de los mensajes que se envían en el entorno laboral
son una pérdida total de tiempo. Si hablamos de las horas
que los encargados dedican al correo electrónico, se calcula que el «25 por ciento de ese tiempo se va en leer mensajes
que no deberían haberse enviado a ese encargado en concreto, y el 25 por ciento se dedica a responder a mensajes a los
que el encargado no tendría que haber contestado».[3] En
otras palabras: más o menos la mitad del tiempo que dedicamos al correo electrónico es tan productiva como contar las
grietas del techo.

   ¿Por qué es tan persistente el problema del correo electrónico? La respuesta reside en entender nuestra psicología.
El correo electrónico es la madre de todos los productos
que nos generan hábitos. Por un lado, proporciona una recompensa variable. Según el célebre descubrimiento del
psicólogo B. F. Skinner, las palomas picoteaban más a menudo los discos cuando les proporcionaban una recompensa
según un esquema de refuerzo variable. Del mismo modo,
la incertidumbre del correo electrónico hace que lo consul-
temos una y otra vez.[4] Nos trae buenas y malas noticias,
información emocionante y frivolidades, mensajes de nuestros seres queridos y de desconocidos anónimos. Toda esa
incertidumbre nos atrae con fuerza porque queremos saber
qué nos vamos a encontrar la próxima vez que revisemos la
bandeja de entrada. Así, seguimos haciendo clic o actuali-
zando en un intento sin fin de calmar la incomodidad de la
impaciencia.

   En segundo lugar, presentamos una fuerte tendencia a la
reciprocidad, es decir, a responder a las acciones de los demás de forma parecida. Cuando alguien dice «Hola» o alar-

ga el brazo para estrecharnos la mano, sentimos el impulso de devolver el gesto; de lo contrario, estamos rompiendo una norma social sólida y resultamos fríos. Aunque la reciprocidad funciona bien en persona, puede dar lugar a muchísimos problemas en internet.

Al final, y quizá de forma más sustancial, el correo electrónico es una herramienta que no podemos decidir no usar. El trabajo de la mayoría depende de él y está tan integrado en nuestras vidas laboral y personal que dejarlo supondría una amenaza para nuestra supervivencia.

Sin embargo, como muchas otras cosas en la vida que nos exigen más tiempo y atención de los que nos gustaría, podemos controlar el correo electrónico. Hay técnicas que podemos desplegar como parte de nuestra rutina de trabajo para desactivar ese magnetismo insano. Vamos a centrarnos en las que proporcionan los mejores resultados con menos esfuerzo.

La cantidad de tiempo que dedicamos al correo electrónico puede reducirse a una ecuación. El tiempo total dedicado al correo electrónico cada día (T) es una multiplicación del número de mensajes recibidos (n) por el tiempo medio (t) dedicado a cada mensaje, o sea: $T = n \times t$. Yo lo memorizo como TNT, lo que me recuerda que cualquier mensaje puede hacer saltar por los aires la planificación de mi día.

Para reducir la cantidad total de tiempo que dedicamos a diario al correo electrónico, debemos abordar tanto la variable n como la t. En primer lugar, vamos a explorar formas de reducir n, el número total de los mensajes que hemos recibido.

Teniendo en cuenta nuestra tendencia a la reciprocidad, es probable que, al mandar un mensaje, el receptor conteste al momento, lo que perpetúa el ciclo sin fin.

Para recibir menos correos electrónicos, debemos enviar menos también.

Parece una obviedad, pero la mayoría no actuamos siguiendo esta lógica básica. Nuestro deseo de reciprocidad es tan potente que contestamos a los mensajes instantes después de recibirlos, por la noche, los fines de semana, en vacaciones... da la impresión de que nada importa.

La mayoría de los mensajes que enviamos y recibimos no son urgentes. Y, sin embargo, la debilidad que tiene nuestro cerebro por las recompensas variables hace que tratemos todos los mensajes, con independencia de su contenido, como si fueran urgentes. Esa tendencia nos condiciona a revisar el correo constantemente, responder y soltar de inmediato cualquier demanda que nos venga a la cabeza. Todas estas reacciones son un error.

Fija un horario de oficina

En mi caso, cada día recibo decenas de correos con preguntas sobre mis libros o artículos. A mí me encanta hablar con mis lectores, pero, si respondiera a todos los mensajes, no tendría tiempo para hacer nada más. En lugar de eso, para reducir el número de correos que envío y recibo, he fijado un «horario de oficina». Los lectores pueden reservar un periodo de quince minutos conmigo en mi página web <Nir AndFar.com/schedule-time-with-me>.

La próxima vez que recibas una pregunta no urgente por correo electrónico, prueba a responder con algo del estilo: «He reservado algo de tiempo el martes y el jueves de 16 a 17 horas. Si esto sigue siendo un problema entonces, por favor, pasa por mi mesa y lo comentamos». Puedes incluso usar una herramienta en línea para organizar la agenda, como la mía, para que la gente pueda coger hora.

Te sorprenderá ver la cantidad de cosas que se vuelven irrelevantes cuando les das un poco de tiempo para airearse.

Al pedir a la otra persona que espere, le ofreces la posibilidad de dar con la respuesta por sí misma, o, como suele ser el caso, ganas tiempo para que el problema desaparezca bajo el peso de alguna otra prioridad.

Pero ¿qué pasa si el emisor sigue necesitando tratar el asunto y no puede resolver el problema por su cuenta? ¡Pues mejor todavía! Los temas difíciles se gestionan mejor en persona que por correo electrónico, donde hay más riesgo de malentendidos. Aquí lo importante es que pedir a las personas hablar de temas complejos en un horario de oficina regular permitirá una mejor comunicación y reducirá el número de mensajes.

Frena y retrasa el envío

Siguiendo la máxima de que la clave para recibir menos correos está en enviar también menos, vale la pena valorar si podemos frenar el *ping-pong* de mensajes enviándolos mucho después de haberlos escrito. Al fin y al cabo, ¿dónde dice que todos tienen que enviarse en el momento en el que se acaban de redactar?

Afortunadamente, la tecnología puede ayudarnos. En lugar de teclear a toda prisa una respuesta y dar de inmediato a enviar, la mayoría de los programas de correo electrónico como Outlook o Gmail nos permiten retrasar la entrega del mensaje.[5] Siempre que respondo a un correo, me pregunto: «¿Hasta cuándo puede esperar esta persona esta respuesta?».

Con solo hacer clic en un botón más antes de enviar, el correo sale de mi bandeja de entrada y también de la de salida, pero no se entrega al receptor hasta un momento determinado que yo mismo he elegido. Así, al mandar menos mensajes cada día, también recibo menos de vuelta.

Retrasar la entrega no solo da tiempo para que la cuestión se resuelva por otros medios, también reduce la probabilidad de recibir correos cuando no los quieres. Por ejemplo, aunque puede que te guste vaciar tu bandeja de entrada los viernes por la tarde, retrasar la entrega hasta el lunes evita que estreses a tus compañeros de trabajo y los ayuda a proteger sus fines de semana al no tener que responder y echar por tierra su descanso.

Elimina los mensajes no deseados

Por último, hay otro método muy eficaz de reducir los correos que te llegan. Todos los días, recibimos un torrente desbocado de *spam*, mensajes publicitarios y *newsletters*. Algunos nos sirven, pero la mayoría, no.

¿Cómo frenamos los mensajes de correo que no queremos volver a ver nunca? Si el correo electrónico es una *newsletter* a la que te apuntaste hace tiempo pero que ya no te resulta útil, lo mejor que puedes hacer es hacer clic en el enlace «Darme de baja» (o «*Unsubscribe*») que aparece al final del correo. Como persona que escribe *newsletters* de ese tipo, puedo asegurarte que a quienes las creamos nos gusta que os deis de baja si ya no os interesa. Nosotros pagamos al proveedor de correo electrónico por el servicio en función de la cantidad de direcciones a las que escribimos, así que preferimos limitarnos a las personas que la consideran útil.

Sin embargo, algunos vendedores con tendencia a enviar *spam* esconden mucho el botón de darse de baja o, incluso, pueden llegar a seguir insistiendo en escribirte aunque ya les hayas pedido que no lo hagan. En esos casos, lo que yo recomiendo es lanzarlos al «agujero negro». Yo utilizo Sane Box, un sencillo programa que trabaja en segundo plano cuando uso el correo electrónico.[6] Siempre que me encuentro con un correo del que no quiero volver a oír hablar en la vida, hago clic en un botón y mando a su remitente a mi carpeta Sane-AgujeroNegro. Una vez allí, SaneBox se asegura de que no vuelva a tener noticias de él.

Por supuesto, gestionar el correo electrónico no deseado requiere tiempo, pero, al reducir la probabilidad de recibir mensajes no deseados, verás que el contenido de tu bandeja de entrada deja de ser un torrente para convertirse en chorrito. Ahora que ya hemos visto formas de reducir el número de mensajes que recibimos (la n de nuestra ecuación), vamos a pasar a la segunda variable: t, la cantidad de tiempo que dedicamos a redactarlos.

Cada vez hay más evidencias que indican que procesar tu correo electrónico por lotes resulta mucho más eficiente y genera menos estrés que ir consultándolo durante todo el día.[7] Y esto se debe a que nuestro cerebro necesita tiempo para cambiar de tarea, así que es mejor centrarse en responder todos los mensajes de golpe. Sé lo que estás pensando: no puedes esperar todo el día para revisar el correo electrónico. Te entiendo. Yo también necesito comprobar la bandeja de entrada para asegurarme de que no hay nada realmente importante.

> El problema no es tanto revisar la bandeja de entrada; lo que nos crea problemas es hacerlo continuamente.

A ver si te suena esto: un icono te informa de que tienes un correo electrónico, así que haces clic y revisas la bandeja de entrada. Ya que estás, te lees todos los mensajes para ver si hay algo que necesita una respuesta inmediata y dejas el resto para otro momento. Más tarde, al abrir tu bandeja de entrada, has olvidado por completo lo que decían los mensajes que has leído antes, así que vuelves a abrirlos. Pero no te da tiempo a responder a todos. Esa noche, vuelves a leerte los correos electrónicos. Si te pareces a como era yo antes, habrá mensajes que hayas leído una cantidad vergonzosa de veces. ¡Menuda pérdida de tiempo!

Etiqueta

Tendemos a creer que lo más importante de un correo electrónico es su contenido, pero no es exactamente así. El aspecto más importante de un correo, desde la perspectiva de la gestión del tiempo, es con qué urgencia debes responder. Y, como olvidamos en qué casos necesita una respuesta el remitente, perdemos tiempo releyendo los mensajes.

La solución a esa manía es sencilla: atiende cada correo electrónico solo dos veces. La primera vez que abras un mensaje, antes de cerrarlo, responde a esta pregunta: ¿cuándo debo responder a este mensaje? Poner una etiqueta a cada correo, ya sea «Hoy» o «Esta semana», le añade la información más importante y te prepara para la segunda (y última vez) que lo abrirás. Obviamente, si el mensaje es del tipo superurgente, «mándame ahora mismo una respuesta», pues contestas y punto. Los mensajes que no necesitan respuesta en absoluto se pueden borrar o archivar de inmediato.

Ten en cuenta que no te estoy diciendo que debas etiquetar los correos por temas o categorías, solo cuando el mensaje requiera respuesta. Etiquetarlos de este modo libera tu mente de distracciones, porque sabes que contestarás en el tiempo que has reservado específicamente para ello en tu horario estructurado en cajas de tiempo.

En mi caso, echo una ojeada a mi bandeja de entrada antes de tomarme el café. Etiquetar si cada correo electrónico nuevo necesita respuesta no me lleva más de diez minutos. Me proporciona paz mental saber que no se me va a pasar nada por alto. Puedo dejar esos mensajes y concentrarme en el trabajo hasta que llegue la hora de contestar.

Mi horario diario incluye tiempo reservado para responder a mensajes con la etiqueta: «Hoy». Es mucho más rápido atender a los mensajes urgentes que tener que navegar por toda la bandeja de entrada intentando ver qué necesita respuesta y qué no al final del día. Además, reservo tres horas todas las semanas para revisar los mensajes menos urgentes con la etiqueta «Esta semana». Por último, al final de la semana, reviso mi horario para evaluar si el tiempo reservado para el correo electrónico ha sido suficiente y ajustar mis cajas de tiempo para la semana siguiente.

¿Por qué no escribir una respuesta rápida la primera vez que abres el mensaje? Dedicar dos minutos a contestar a un correo electrónico en tu teléfono parece poca cosa hasta que entiendes que, con los cientos de mensajes que recibimos a diario, esos dos minutos van acumulándose rápidamente. Y, antes de que te des cuenta, los dos minutos se convierten en diez, quince o sesenta, y has perdido el día tecleando respuestas de forma frenética en lugar de centrándote en lo que de verdad querías hacer.

Derrotar al monstruo de los mensajes requiere una gran cantidad de armas para manipular a tu favor esta persistente fuente de distracción, pero, si experimentamos con estas técnicas probadas, podemos recuperar las riendas de los disparadores que nos hacen descarrilar.

RECUERDA

- **Divide el problema.** El tiempo dedicado al correo electrónico (T) es una multiplicación del número de mensajes recibidos (n) por el tiempo medio (t) dedicado a cada mensaje: $T = n \times t$.
- **Reduce el número de mensajes recibidos.** Fija un horario de oficina, retrasa el envío de mensajes y reduce la cantidad de mensajes improductivos que llegan a tu bandeja de entrada.
- **Dedica menos tiempo a cada mensaje.** Etiqueta los correos en función de cuándo requieren respuesta. Contesta durante el tiempo que hayas reservado para ello en tu horario.

16

Manipula a tu favor los grupos de mensajería instantánea

Jason Fried dice que los grupos de mensajería instantánea son «como estar en una reunión interminable, con participantes aleatorios y sin orden del día».[1] Esto resulta especialmente notable teniendo en cuenta que la empresa fundada por Fried, Basecamp, tiene una aplicación de este tipo muy popular. Pero Fried entiende que a su empresa le interesa asegurarse de que sus clientes no se quemen. Ofrece distintos consejos para equipos que usen estas aplicaciones, ya sean Basecamp, Slack, WhatsApp u otros servicios.

«Lo que hemos aprendido es que los grupos de mensajería instantánea usados muy de vez en cuando, en algunas situaciones muy concretas, son la mar de útiles —escribió Fried en una publicación en línea—. Lo que no tiene tanto sentido es que los grupos sean el método de comunicación principal y por defecto en una organización. Una parte del pastel, vale. El pastel entero, no [...] Cuando una compañía empieza a pensar casi todo el tiempo línea a línea acaban pasando todo tipo de desgracias.»

Fried cree que las herramientas que empleamos también pueden cambiar nuestra forma de sentirnos en el trabajo y, en consecuencia, recomienda utilizar poco los grupos de mensajería instantánea. «¿Estamos hechos polvo, agotados y ansiosos? ¿O tranquilos, a gusto y serenos? Esto no son meros estados de ánimo, son estados provocados por las herramientas que usamos y por los comportamientos que estas promueven.» Aunque la inmediatez de los grupos es precisamente lo que los hace únicos, Fried cree que «ahora mismo, deberían ser la excepción, no la norma».[2] Te voy a dar cuatro reglas básicas para gestionar los grupos de mensajería instantánea de forma eficaz:

Regla número I: úsalos como usarías una sauna

Deberíamos utilizar los grupos de mensajería instantánea del mismo modo que utilizamos otros canales de comunicación sincrónicos. Igual que no participaríamos en una videollamada que durara un día entero, deberíamos aplicar el mismo principio a estos grupos. Fried recomienda «tratar el grupo como una sauna: entrar un rato y luego salir [...] no es sano pasar mucho rato ahí dentro».

Alternativamente, podemos programar una reunión de grupo en la aplicación de manera que todo el mundo entre al mismo tiempo. Cuando se emplea así, puede ser una forma magnífica de reducir las reuniones en persona.

Resulta llamativo que el director ejecutivo de una empresa de mensajería instantánea recomiende limitar el uso de su producto. Y, sin embargo, muchas organizaciones que emplean estos servicios animan a sus empleados a pasar el día en la sauna. Se trata de una práctica corrosiva que las personas no siempre pueden cambiar por su cuenta. Hablaremos de las culturas de empresa disfuncionales más adelante.

Regla número 2: inclúyelos en el horario

Los comentarios de una línea, GIF y emojis que suelen usarse en los grupos de mensajería instantánea generan una corriente continua de disparadores externos que a menudo nos alejan de la tracción. Para manipularlos a tu favor, reserva un momento del día para revisar esos grupos, como harías con cualquier otra tarea de tu horario con cajas de tiempo.

Es importante sentar las expectativas de tus compañeros informándoles de cuándo planeas estar disponible. Puedes tranquilizarlos asegurándoles que contribuirás a la conversación durante un periodo de tiempo reservado para ello más tarde, pero hasta entonces no deberías sentirte culpable por activar la función «No molestar» mientras te concentras en el trabajo.

Regla número 3: elige bien

Cuando hablamos de grupos de mensajería instantánea, hay que ser selectivos a la hora de decidir a quién se invita a la conversación. Fried recomienda: «No metas a todo el mundo. Cuanto más pequeño sea un grupo, mejor». Siguiendo con la metáfora de la videollamada, afirma: «Una videollamada con tres personas es perfecta. Con seis o siete, es un caos y terriblemente ineficaz. Y con los grupos pasa lo mismo. No invites a todo el mundo si solo necesitas a unos pocos». La clave es asegurarse de que todos los presentes pueden contribuir y beneficiarse de formar parte de esa conversación.

Regla número 4: úsalos de forma selectiva

Es mejor evitar del todo los grupos de mensajería instantánea cuando se tratan asuntos delicados. Recuerda que la capacidad de observar directamente el estado de ánimo, el tono y el lenguaje no verbal de la otra persona suma un contexto vital a las conversaciones. Como sugiere Fried: «Los grupos deberían ser para cosas rápidas y efímeras», mientras que «los temas importantes necesitan tiempo, tracción y distancia del resto de la cháchara».

El problema es que hay personas a las que les gusta «pensar en voz alta» en los grupos de mensajería instantánea, exponiendo sus argumentos e ideas en frases de una línea. Esto rara vez funciona, porque cuesta seguir el hilo de pensamiento de alguien en tiempo real mientras los demás comentan con emojis y otras posibles distracciones. En lugar de recurrir a grupos de mensajería instantánea para mantener discusiones largas y tomar decisiones precipitadas, es mejor pedir a los participantes en la conversación que articulen sus argumentos en un documento y que lo compartan una vez que hayan procesado sus ideas.

Por último, los grupos de mensajería instantánea no son más que otro canal de comunicación, no muy distinto del correo electrónico o los mensajes de texto. Si se usan bien, pueden ofrecer un sinfín de beneficios, pero, cuando se abusa de ellos o se utilizan mal, pueden generar un aluvión de disparadores externos no deseados. El secreto reside en la respuesta a nuestra pregunta decisiva: ¿estos disparadores están a mi servicio o yo estoy al suyo? Deberíamos usar los grupos cuando nos ayudan a ganar tracción y despejar los disparadores externos que nos conducen a la distracción.

RECUERDA

- **La comunicación mediante canales en tiempo real debería utilizarse muy de vez en cuando.** El tiempo que pasamos comunicándonos no debería ser a costa del tiempo que dedicamos a concentrarnos.
- **La cultura empresarial importa.** Cambiar las prácticas relacionadas con los grupos de mensajería instantánea puede implicar cuestionar las normas de la empresa. Hablaremos de esto en la quinta parte.
- **Cada canal de comunicación tiene usos distintos.** En lugar de utilizar todas las tecnologías como canales siempre disponibles, emplea la mejor herramienta para cada trabajo.
- **Entra y sal.** Los grupos de mensajería instantánea son ideales para sustituir reuniones en persona, pero horribles si se convierten en algo que se prolonga todo el día.

17

Manipula a tu favor las reuniones

Hoy en día, las reuniones están llenas de gente que apenas presta atención mientras manda correos electrónicos para decir lo aburridísima que está.[1] En parte, el problema es que demasiado a menudo hay personas que convocan reuniones para evitar tener que resolver problemas por su cuenta. Para algunos, hablar con compañeros es mejor que trabajar a solas. Y es cierto que la colaboración es útil en determinados momentos, pero las reuniones no deberían usarse como distracción para evitar esforzarse en pensar. ¿Cómo podemos hacer que las reuniones valgan la pena?

El principal objetivo de la mayoría de las reuniones debería ser consensuar una decisión, no crear una cámara de eco para las ideas del organizador de esta. Una de las maneras más sencillas de evitar las reuniones superfluas es exigir dos cosas a quien las convoca. La primera: los organizadores de la reunión deben enviar un orden del día sobre los problemas que van a abordarse. Sin orden del día, no hay reunión. La segunda: deben hacer constar su mejor propuesta de solución en forma de informe breve y por escrito. El resumen no debe ocupar más de una o dos páginas en las que se exponga el problema, su razonamiento y sus recomendaciones.

Estos dos pasos exigen algo más de esfuerzo, pero ese es precisamente el objetivo. Pedir un orden del día y un resumen no solo ahorra tiempo a todo el mundo, porque se llega antes a una respuesta, sino que también reduce la cantidad de reuniones innecesarias añadiendo un poquito de esfuerzo al organizador antes de convocar una.

Pero ¿dónde quedan la inteligencia colectiva y las lluvias de ideas? Estas cosas son buenas, pero no en reuniones de más de dos personas. A menos que la reunión se deba a una emergencia o se plantee como un foro donde escuchar a empleados preocupados (de lo que hablaremos en la quinta parte), compartir perspectivas personales sobre un problema empresarial puede hacerse mediante correo electrónico a la parte interesada responsable. Las lluvias de ideas también pueden realizarse antes de la reunión, y es mejor si son individuales o en grupos muy reducidos. Cuando daba clases en la escuela de diseño de Stanford, advertí que, invariablemente, los equipos que recurrían a las lluvias de ideas individuales antes de juntarse no solo tenían mejores ideas, sino que se incrementaba la probabilidad de llegar a soluciones más inteligentes y diversas, reduciendo la de ser avasallados por los miembros más dominantes y habladores del grupo.

A continuación, si va a celebrarse la reunión, debemos seguir las normas de la comunicación sincrónica que ya hemos comentado en el capítulo anterior con respecto a los grupos de mensajería instantánea. Ya sean en línea o en persona, se aplican las mismas reglas sobre elegir cuidadosamente quién acude y asegurarse de que dure poco.

Una vez en la reunión, surge un nuevo problema: hay

personas que están pendientes de sus dispositivos en lugar de prestar toda su atención. Los asistentes revisan el correo electrónico o trastean con el móvil durante las reuniones a pesar de que numerosos estudios muestran que a nuestro cerebro se le da fatal retener información cuando no presta toda su atención.[2] Ver que otras personas están usando sus dispositivos en las reuniones dispara la paranoia sobre la percepción de productividad: la impresión de que los demás están trabajando y nosotros no incrementa nuestros niveles de estrés. Pensar en la bandeja de entrada a rebosar menoscaba la eficacia de las reuniones y nuestra falta de participación en ellas solo hace que sean aún menos productivas, tengan menos sentido y resulten muy poco interesantes.

Para ser inmunes a la distracción en las reuniones, debemos deshacernos de cualquier pantalla. He impartido innumerables talleres y he observado la gran diferencia entre las reuniones donde se permitía usar tecnología y las que no, y las reuniones sin pantallas generaban discusiones mucho más centradas y mejores resultados. Para asegurarnos de que el tiempo transcurrido en la reunión no es tiempo perdido, tenemos que introducir nuevas normas y costumbres.

Si vamos a dedicar nuestro tiempo a una reunión, debemos asegurarnos de que estamos presentes tanto física como mentalmente.

En primer lugar, todas las salas de reuniones deberían contar con una zona de carga de dispositivos fuera del alcance de todo el mundo. Cuando lleguen los asistentes, habría que pedirles que pongan el teléfono en silencio y lo enchufen, para que la reunión se celebre libre de distracciones. Aunque existen excepciones concretas a estas normas en función del negocio, lo único que de verdad necesitan los asistentes es papel, bolígrafo y, quizá, notas adhesivas.

Si hay que proyectar imágenes en una pantalla, elige a un miembro del equipo para que haga la presentación desde su ordenador o utilice un portátil que esté siempre en la sala de reuniones. En lugar de alimentar el deseo de los demás de usar sus dispositivos, cualquiera que intente sacar su teléfono o su portátil durante la reunión debería recibir miradas de desaprobación de ti y tus compañeros.

A pesar de la posible mejora de la participación en reuniones sin tecnología, algunos pueden mostrarse reacios a la idea y protestar aduciendo que necesitan los dispositivos para tomar notas o consultar documentos. Pero, si somos sinceros, sabemos que esas excusas no siempre son legítimas. ¿Para qué recurrimos en realidad a nuestros dispositivos en las reuniones? La tecnología nos proporciona un modo de estar físicamente presentes, pero mentalmente ausentes; la verdad incómoda es que nos gusta tener nuestros teléfonos, tabletas y portátiles en las reuniones, no para mejorar nuestra productividad, sino porque constituyen una válvula de escape psicológica. Las reuniones pueden ser insoportablemente tensas, raras desde un punto de vista social y aburridísimas: los dispositivos nos ofrecen una forma de gestionar nuestros incómodos disparadores internos.

Reducir las reuniones innecesarias incrementando el esfuerzo de convocarlas, seguir las buenas prácticas de la comunicación simultánea y asegurar que las personas participen en lugar de mirar sus dispositivos las hace mucho menos horribles.

Aunque el lugar de trabajo moderno está lleno de posibles distracciones, depende de nosotros manejarlas probando constantemente nuevas formas de mantener la concentración. Elige unas cuantas tácticas que hayas aprendido en esta sección para ponerlas a prueba y pregunta a un par de compañeros si estarían dispuestos a hacerlo también. Manipular a tu favor los disparadores externos, ya sea en la oficina o en tus dispositivos, es un remedio eficaz para la distracción que puede ayudarnos a trabajar y vivir mejor.

RECUERDA

- **Que no sea tan fácil convocar una reunión.** Para convocar una reunión, el organizador debe pasar un orden del día y un documento de resumen.
- **Las reuniones son para generar consensos.** Con escasas excepciones, la búsqueda de soluciones creativas tiene que hacerse antes de la reunión, de forma individual o en grupos muy reducidos.
- **Presta toda tu atención.** Las personas usan sus dispositivos en las reuniones para huir de la monotonía y el aburrimiento, lo que, a su vez, empeora las reuniones.
- **Que solo haya un portátil por reunión.** Si todo el mundo tiene un dispositivo en la mano, cuesta más cumplir el objetivo de la reunión. Dejad todos los dispositivos fuera, a excepción de un único portátil para hacer presentaciones y tomar notas.

18

Manipula a tu favor tu *smartphone*

Está claro que muchas personas, yo incluido, dependemos de nuestro *smartphone*. Ya sea para estar en contacto con la familia, movernos por la ciudad o escuchar audiolibros, este dispositivo milagroso que llevamos en el bolsillo se ha convertido en indispensable. Sin embargo, lo mismo que hace que el *smartphone* sea tan útil lo convierte también en una posible fuente de distracción.

La buena noticia es que depender de algo no es lo mismo que ser adicto.[1] Podemos sacar el máximo provecho de nuestros dispositivos sin permitir que nos expriman. Si manipulamos nuestros teléfonos a nuestro favor, podemos cortocircuitar los disparadores externos que dan pie a comportamientos perjudiciales.

Estos son mis cuatro pasos para manipular a tu favor tu *smartphone* y ahorrarte incontables horas mirándolo distraído. Lo mejor es que se tarda menos de una hora en implementar este plan de arriba abajo, por lo que no tienes excusa para permitir que tu teléfono vuelva a distraerte.

Paso I: eliminar

El primer paso para gestionar las distracciones es eliminar las aplicaciones que ya no necesitamos. Para hacerlo, tuve que plantearme preguntas decisivas sobre qué disparadores externos del teléfono estaban a mi servicio y cuáles no. Basándome en mis respuestas, desinstalé aplicaciones que no estaban alineadas con mis valores. Me quedé las aplicaciones para aprender y mantenerme sano, y eliminé las de noticias, con alarmas estridentes y titulares estresantes.

Asimismo, borré todos los juegos. Obviamente, no estoy diciendo que tú también debas hacerlo. Hoy en día, muchos juegos, sobre todo los de desarrolladores independientes, son obras maestras e igual de entretenidos y con las mismas virtudes que cualquier libro o película de calidad. Pero yo decidí que, en mi caso, los juegos no encajaban con cómo quería pasar el tiempo con el teléfono.

Como tecnófilo, me encanta probar las aplicaciones más novedosas. Sin embargo, después de unos cuantos años, tenía una larga colección de pantallas llenas de aplicaciones que no tocaba y que se acumulaban en el móvil. Si te pareces a mí, es probable que tengas unas cuantas aplicaciones que no usas nunca. Estas aplicaciones ocupan espacio en la memoria de tu teléfono y consumen ancho de banda cuando se actualizan. Y, lo que es peor, estas aplicaciones zombis llenan nuestros dispositivos de ruido visual.

Paso 2: sustituir

Deshacerme de las aplicaciones que no usaba fue fácil, porque decirles adiós no desencadenó ninguna respuesta emocional en mí. Sin embargo, el paso siguiente implicó eliminar aplicaciones que me encantaban.

El problema era que, a menudo, me veía abriendo YouTube, Facebook o X en el teléfono cuando había planeado pasar tiempo con mi hija. En el instante en que sentía cierto aburrimiento, veía un vídeo corto o actualizaba una red social. Por desgracia, eso también me alejaba del momento que estaba pasando con mi hija. Pero abandonar por completo esos servicios, en mi caso, no era una opción; seguía queriendo usarlos para estar en contacto con amigos y ver vídeos interesantes.

Encontré la solución sustituyendo el cuándo y el dónde utilizaba esos servicios que me resultaban problemáticos. Como había reservado tiempo para las redes sociales en mi horario estructurado en cajas de tiempo, ya no necesitaba tenerlas en el móvil. Tras unos minutos de duda, borrarlas fue como un soplo de aire fresco. Podía respirar aliviado a sabiendas de que seguía pudiendo acceder a esos servicios desde mi ordenador en un momento que había reservado para ello y no cuando el creador de la aplicación decidiera mandarme una notificación.

Quizá el beneficio más sorprendente de este reajuste del móvil fue cambiar mi forma de consultar la hora. Como alguien que odia llegar tarde, solía echar ojeadas al teléfono durante todo el día, lo que muy a menudo me hacía caer hipnotizado por una notificación en la pantalla de bloqueo. Cuando empecé a volver a llevar reloj, vi que consultaba mucho menos el teléfono. Una miradita a mi muñeca me decía lo que quería saber, y nada más.

La idea aquí es encontrar el mejor momento y el mejor lugar para lo que quieres hacer. Solo porque tu teléfono pueda hacer aparentemente cualquier cosa, no significa que deba.

Paso 3: reordenar

Ahora que nos hemos quedado solo con las aplicaciones indispensables, ha llegado el momento de poner un poco de orden en nuestro teléfono para que nos distraiga menos. El objetivo es que nada de lo que contenga nos robe tracción al desbloquearlo.

Tony Stubblebine, editor jefe de la popular publicación de Medium *Better Humans*, llama a esta distribución «pantalla de inicio esencial». Stubblebine fue el sexto empleado de X y es totalmente consciente de que esa plataforma fue diseñada pensando en la psicología humana.

Stubblebine recomienda ordenar las aplicaciones en tres categorías:[2] «herramientas principales», «aspiraciones» y «máquinas tragaperras». Dice que las herramientas principales «te ayudan a hacer tareas concretas y frecuentes: pedir un taxi, encontrar una dirección, fijar una cita. No deberían ser más de cinco o seis». Lo que él llama «aspiraciones» son «las cosas a las que quieres dedicar tiempo: meditación, yoga, ejercicio, lectura o escuchar pódcast». Stubblebine describe las máquinas tragaperras como «las aplicaciones que abres y te pierdes en ellas: correo electrónico, X, Facebook, Instagram, Snapchat, etcétera». Recomienda reorde-

Dedicar unos pocos minutos a reordenar las aplicaciones
de mi teléfono eliminó disparadores externos que no necesitaba
en mi pantalla de inicio.

nar la pantalla de inicio del móvil de forma que solo tenga
herramientas principales y aspiraciones. Te enseña a «pensar en la pantalla de inicio como en un grupo de aplicaciones que sientes que controlas. Si una aplicación te hace con-
sultarla sin pensar, llévala a otra pantalla».

Además, en lugar de ir pasando pantallas en busca de
una aplicación que necesitas, te recomiendo usar la herramienta de búsqueda integrada del dispositivo. Esto reducirá
el riesgo de tropezar con una aplicación que te distraiga al
estar pasando por todas las pantallas y carpetas del teléfono.

Paso 4: recuperar terreno

En 2013, Apple anunció que sus servidores habían enviado
7.400 billones de notificaciones *push*.[3] Por desgracia, pocas

personas hacen algo para evitar esos disparadores externos. Según Adam Marchick, director ejecutivo de la empresa de *marketing* móvil Kahuna, menos del 15 por ciento de los usuarios de *smartphone* modifican la configuración de las notificaciones, lo que significa que el 85 por ciento restante permiten que los fabricantes los interrumpan cuando les dé la gana.

Depende de nosotros hacer ajustes que se adapten a nuestras necesidades, porque los fabricantes de las aplicaciones no van a hacerlo. Pero ¿qué notificaciones deberíamos dejar de recibir? ¿Y cómo se hace? Ahora que hemos reducido el número de aplicaciones de nuestro teléfono, podemos ajustar la configuración de las notificaciones. Este paso me llevó unos treinta minutos, pero fue el que más me cambió la vida.

Si tienes un iPhone, ve a Configuración y selecciona la opción Notificaciones; y, si tienes un dispositivo Android, ve a la sección Apps en Ajustes. Desde ahí, ajusta los permisos de las notificaciones de cada una de las aplicaciones por separado según tus preferencias.

Según mi experiencia, vale la pena ajustar los permisos de dos tipos de notificaciones:

1. **Sonidos**: las notificaciones sonoras son las más intrusivas. Pregúntate qué aplicaciones deberían poder interrumpirte cuando estás con tu familia o en una reunión. Yo solo se lo permito a los mensajes de texto y las llamadas telefónicas, aunque también uso una aplicación que hace sonar un timbre cada hora para ayudarme a seguir mi horario del día.

2. **Visuales**: después de los sonoros, los disparadores visuales son la segunda manera de interrumpir más in-

trusiva. En mi caso, solo permito notificaciones visuales en forma de esos círculos rojos que aparecen en la esquina del icono de la aplicación, y solo doy permiso a aplicaciones de mensajes como la del correo electrónico, WhatsApp, Slack y Messenger. Yo no uso estas aplicaciones para emergencias, así que sé que siempre puedo esperar hasta tener tiempo para abrirlas.

El único problemilla con estas dos categorías es que algunos disparadores sonoros se me pueden colar en momentos de concentración o por la noche, cuando estoy durmiendo. Solo quiero que esos disparadores externos me lleguen en caso de emergencia. Por suerte, mi iPhone tiene dos modos de concentración que son increíblemente útiles (Android está sacando funcionalidades parecidas).

La primera es el No molestar, que puede programarse para evitar que te llegue ninguna notificación, incluidas llamadas y mensajes de texto. Sin embargo, si alguien llama dos veces en tres minutos o manda un mensaje con la palabra «urgente», el sistema operativo de Apple sabe que debe dejar pasar esa llamada o mensaje.[4]

La segunda prestación es el Modo conducción, que bloquea las llamadas y los mensajes de texto, pero también responde con un mensaje que informa de que no puedes atender al teléfono en ese momento. Incluso puedes personalizar el mensaje para que los demás sepan que en ese momento no se te puede distraer.

Cabe decir que recuperar terreno frente a los disparadores externos de tu móvil requiere algo de mantenimiento. Por ejemplo, cada vez que instales una nueva aplicación tendrás que ajustar los permisos de las notificaciones. La

¡Hola! Esto es una respuesta automática para que sepas que ahora mismo no se me puede distraer. 🔕 No veré ahora mismo este mensaje, pero me pondré en contacto contigo dentro de poco.

(No recibo notificaciones. Si es urgente, responde «urgente» a este mensaje para que me llegue una notificación con tu mensaje original.)

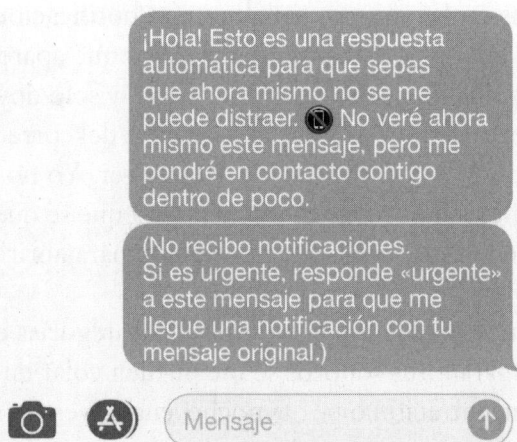

Personaliza una respuesta automática para informar de que no se te puede distraer usando la función Modo conducción de los modos de concentración de Apple.

buena noticia es que tanto Apple iOS como Android están planeando simplificar el proceso de modificación de notificaciones para que resulte más sencillo en las próximas actualizaciones de sus respectivos sistemas operativos.

Hay muchas cosas que puedes hacer para eliminar disparadores externos no deseados de tu teléfono. Por muy potentes que sean los trucos de los fabricantes de las aplicaciones, nada puede igualar a eliminar, sustituir, reordenar y recuperar terreno a las aplicaciones que ya no te sirven para nada. Si dedicas una parte de tu tiempo que, en cualquier caso, ibas a pasar mirando distraídamente tu teléfono, puedes personalizar y eliminar disparadores externos que ya no te sirven. Usar el móvil sin distracciones está al alcance de tu mano. No hay motivo para no manipularlo a tu favor.

RECUERDA

- **Puedes manipular a tu favor los disparadores externos de tu teléfono siguiendo cuatro pasos y en menos de una hora.**
- **Eliminar:** desinstala las aplicaciones que ya no necesitas.
- **Sustituir:** cambia cuándo y dónde usas las aplicaciones que pueden distraerte, como redes sociales y YouTube, pasándolas a tu ordenador de sobremesa. Cómprate un reloj de pulsera para no tener que consultar la hora en el móvil.
- **Reordenar:** elimina de la pantalla de inicio las aplicaciones que puedan hacer que te pongas a mirar el teléfono sin ningún objetivo.
- **Recuperar terreno:** cambia la configuración de las notificaciones de todas las aplicaciones. Selecciona con sumo cuidado qué aplicaciones pueden emitir sonidos y mensajes visuales. Aprende a configurar los modos de concentración de tu móvil.

19

Manipula a tu favor tu escritorio

Basándonos en su portátil, Robbert van Els podría pasar por agente secreto. Su pantalla está desbordada de archivos urgentes: un control central para gestionar operaciones clandestinas. La personalidad del hombre misterioso se define por el coche deportivo que se esconde tras un muro de documentos de Word y archivos JPEG desperdigados. Me sube la tensión con solo mirar su escritorio.

Pero Robbert van Els no es un agente secreto. Es un desordenado.

Aparentemente no hay relación entre tener el ordenador hecho un caos y llevar una vida de aventuras. Todos podemos ahogarnos en el barullo de un escritorio lleno de cosas. Por desgracia, la basura digital supone un coste de tiempo, empeora el desempeño y mata la concentración.

Conocí a Van Els en un congreso donde yo daba una charla sobre distracción digital. En ese momento, él había llegado al límite. Había entendido que si quería que su negocio creciera tenía que recuperar el control de su atención. «Menos distracción, más tiempo para concentrarme», me

Escritorio de Robbert van Els.

dijo. Más tarde, supe que Van Els se había tomado muy a pecho mi charla y que había ido aún más lejos. Me mandó una captura de pantalla de su nuevo escritorio por Facebook y me dijo: «¡Hace un mes que estoy probando esta nueva distribución y el resultado es magnífico!».

Van Els descubrió que los escritorios abigarrados no solo son feos, salen caros. Por ejemplo, tienen un coste cognitivo. Un estudio llevado a cabo por investigadores de la Universidad de Princeton halló que las personas hacían peor las tareas cognitivas cuando su campo de visión estaba desordenado que cuando estaba bien ordenado.[1] Lo mismo es aplicable a los entornos digitales, según un estudio publicado en la revista académica *Behaviour & Information Technology*.[2]

No es de extrañar que a nuestro cerebro le cuesta más encontrar algo cuando las cosas están dispuestas de forma desorganizada, lo que significa que todos los iconos errantes, las pestañas abiertas o los marcadores innecesarios son un recordatorio molesto de cosas que se han quedado a medias o pendientes de ser exploradas. Con tantos disparadores externos, resulta fácil acabar haciendo clic en algo que nos aleja de la tarea que estamos realizando. Según Sophie Leroy, de la Universidad de Minnesota, pasar de una cosa a otra perjudica nuestra concentración y nos deja lo que denomina un «residuo de atención» que complica volver al punto en el que estábamos antes de distraernos.[3]

En la actualidad, el escritorio de Robbert van Els no podría estar más impoluto. Ha sustituido el llamativo coche deportivo y los centenares de iconos por un fondo negro y unas sencillas letras blancas que dicen: «Lo que más miedo nos da suele ser lo que más necesitamos hacer».

Eliminar disparadores externos innecesarios de nuestra línea de visión reduce el caos en nuestro lugar de trabajo y libera la mente para que se concentre en lo que de verdad importa.

Inspirado por él, decidí seguir sus pasos e implementar una buena limpieza del mío. A excepción de uno o dos archivos en los que trabajaré a lo largo de la semana, guardo todo lo que tenía amontonado en el escritorio en una carpeta llamada «Todo» (muy original, lo sé). No hay necesidad de ordenar los archivos en carpetas. Si necesito uno en concreto, lo busco con la funcionalidad integrada. Ahora empiezo cada jornada con un lienzo en blanco en la pantalla de mi ordenador. (Puedes descargar tu fondo de pantalla inmune a la distracción en: <NirAndFar.com/Indistractable>.)

«Lo que más miedo nos da suele ser lo que más necesitamos hacer.»

El escritorio de Robbert van Els en la actualidad, inspirador y sin disparadores.

Pero mi cruzada contra el caos no se quedó ahí. Decidí desactivar todas las notificaciones del ordenador de sobremesa para asegurarme de no volver a distraerme con distintos disparadores externos. Para eliminar las notificaciones, abrí los Ajustes del sistema de mi Mac, hice clic en la opción Notificaciones y desactivé las de todas las aplicaciones de la lista.

También manipulé a mi favor la opción No molestar para que estuviera siempre encendida, indicando que se activara a las siete de la mañana y se apagara un minuto antes. Una vez hecho esto, por fin desaparecieron las innumerables notificaciones del escritorio. Puede hacerse algo parecido en ordenadores con Windows usando el Asistente de concentración, que también incluye la posibilidad de permitir interrupciones de personas seleccionadas, como tu jefe.

Como Van Els y yo, tú también puedes descubrir que un escritorio libre de caos puede ayudarte a alcanzar la tracción cada vez que enciendas el ordenador. Te beneficiarás de trabajar en un espacio digital libre de disparadores que te distraigan de lo que de verdad quieres hacer.

RECUERDA

- **Pagas un precio psicológico muy elevado en forma de atención por el desorden de tu escritorio.** Eliminar los disparadores externos de tu espacio de trabajo digital puede ayudarte a mantener la concentración.
- **Desactiva las notificaciones de tu escritorio.** Desactivar las notificaciones de tu ordenador te asegura no distraerte con disparadores externos cuando te concentres en el trabajo.

20

Manipula a tu favor los artículos en línea

Si internet tuviera voz, estoy casi seguro de que sonaría como HAL 9000, de *2001: una odisea del espacio*.

—Hola, Nir —me diría con su voz grave y monótona—. Me alegro de volver a verte.

—Internet, necesito un par de cosas rápidas para un artículo que estoy escribiendo —le diría yo—. Y luego, otra vez a trabajar. Sin distracciones.

—Claro, Nir, pero, ya que estás, ¿por qué no echas una ojeada a los titulares de las noticias del día?

—No, internet —respondería—. Solo he venido en busca de una información muy concreta. No puedo distraerme.

—Claro que no, Nir —me contestaría internet—. Pero este artículo titulado «Los 10 mejores trucos de productividad que tienes que saber» podría serte de ayuda. ¿Y si haces clic? ¿Eh?

—Interesante —afirmaría con voz dudosa—. Una lectura rápida y me pongo a trabajar.

Tres horas después, vería que llevo un montón de rato saltando de artículo en artículo y maldeciría a internet por absorberme en su vórtice de contenido, otra vez.

No solo habría perdido el tiempo leyendo demasiados artículos, a menudo acabo con decenas, cuando no son cientos, de pestañas abiertas amontonadas en el navegador. Estos disparadores externos no solo me hacen más propenso a volver a distraerme en el futuro, sino que también me hacen tener pánico a que el ordenador se cuelgue, porque perdería todas las pestañas y todas las cosas en las que estuviera trabajando.

Afortunadamente, solucioné todos mis problemas con las pestañas con una norma sencilla que me ha ayudado a dejar de navegar sin rumbo por internet.

Nunca leo artículos en el navegador.

Como te puedes imaginar, siendo escritor, uso la red para documentarme todos los días. Sin embargo, cuando descubro un nuevo artículo, ya no lo leo inmediatamente en el navegador. En lugar de eso, he reservado tiempo para leer en línea, lo que elimina la tentación de pasar más tiempo del previsto. Así es como lo hago:

Empecé instalando una aplicación llamada Pocket en mi móvil, junto con la extensión para navegador en mi ordenador de sobremesa.[1] Para cumplir con mi norma de «no leer nunca artículos en el navegador», hago clic en el botón de Pocket del navegador siempre que veo un artículo que quiero leer. Entonces, Pocket extrae el texto de la página y lo guarda (sin anuncios ni contenido superfluo) en la aplicación de mi teléfono.

Sustituí mi antigua costumbre de o bien leer el contenido inmediatamente en línea o bien llenar mi navegador de pestañas con el nuevo hábito de guardar los artículos para leerlos más tarde. Este nuevo comportamiento no frustraba mi tentación de digerir ese contenido; a mí me satisfacía igual saber que lo tenía a salvo, esperándome para luego.

Pero ¿cuándo podría ponerme con los centenares de artículos que guardaba? ¿Acaso no estaba limitándome a desplazar el problema del navegador al móvil? Aquí es donde el beneficio de combinar las cajas de tiempo con la manipulación de los disparadores externos proporciona los mayores dividendos.

Todos sabemos que hacer muchas cosas a la vez destruye la productividad, ¿verdad? ¿Acaso no has visto todos esos estudios y has leído artículos que aseguran que es imposible hacer dos cosas al mismo tiempo? Eso es cierto en algunos casos. La evidencia deja bastante claro que a los humanos se les da fatal hacer dos tareas complejas de manera simultánea. En términos generales, cometemos más errores cuando hacemos malabarismos con demasiadas tareas al mismo tiempo, y también tardamos más, el doble, en completar dichas tareas.[2] Los científicos creen que ese tiempo perdido y el descenso en la calidad se deben a que el cerebro tiene que esforzarse para volver a concentrarse al cambiar de actividad.

Sin embargo, si se usa de manera correcta, la multitarea puede ayudarnos a exprimir nuestro horario con muy poco esfuerzo extra. Yo lo llamo «multitarea multicanal» y es un truco buenísimo para aprovechar mejor el día. Para hacer bien más de una cosa a la vez, debemos entender las limitaciones que provocan que no seamos capaces de hacer más de una cosa al mismo tiempo. En primer lugar, el cerebro tiene un límite de potencia de procesamiento: cuanta más concentración requiere una tarea, menos espacio tiene para nada más. Ese es el motivo de que no podamos resolver dos problemas matemáticos al mismo tiempo.

En segundo lugar, el cerebro tiene un número limitado de canales de atención y solo puede discernir las señales sensoriales de una en una. Intenta escuchar dos pódcast distintos, uno por cada oído. No te sorprenderá no ser capaz de entender qué están diciendo en uno sin apagar mentalmente el otro.

Sin embargo, aunque solo podemos recibir información de una única fuente, que puede ser visual o auditiva, al mismo tiempo, somos perfectamente capaces de procesar información multicanal. Los científicos denominan a esto «atención transmodal», que permite a nuestro cerebro poner determinados procesos mentales en piloto automático mientras pensamos en otras cosas.[3]

Siempre que no tengamos que concentrarnos demasiado en ningún canal, podemos hacer más de una cosa al mismo tiempo.

Algunos estudios han determinado que las personas hacen algunas cosas mejor cuando tienen múltiples entradas sensoriales. Por ejemplo, algunas formas de aprendizaje mejoran cuando las personas implican el oído, la vista y el tacto al mismo tiempo. Un estudio reciente concluyó que caminar, aunque sea despacio y en una cinta de correr, mejora el desempeño en un test de creatividad en comparación con completarlo en posición sentada.

Algunas formas de multitarea multicanal funcionan especialmente bien juntas. Cocinar y comer algo saludable con tus amistades te permite hacer algo bueno para tu cuerpo mientras dedicas también tiempo a tus relaciones. Salir de la oficina a dar un largo paseo mientras atiendes una llamada telefónica o invitar a un compañero a celebrar reuniones caminando marca dos cosas positivas al mismo tiempo. Escuchar un audiolibro de no ficción de camino al trabajo es un buen ejemplo de cómo sacar el máximo provecho al trayecto mientras dedicas tiempo a la mejora personal. Hacer lo mismo mientras cocinas o limpias te da la sensación de que el tiempo pasa más deprisa.

Hay otra forma de multitarea multicanal que ha demostrado su eficacia a la hora de ayudar a las personas a mejorar la condición física. Katherine Milkman, de la Escuela de Negocios Wharton, de la Universidad de Pensilvania, ha demostrado que podemos aprovechar un comportamiento que queremos poner en práctica para que nos ayude a hacer cosas que sabemos que deberíamos. En su estudio, Milkman entregó a los participantes un iPod con un audiolibro que solo podían escuchar en el gimnasio.[4] Milkman eligió libros como *Los juegos del hambre* y *Crepúsculo*, cuyas tramas sabía que podían enganchar a la gente. Los resultados fueron fascinantes. «Los participantes que solo tenían acceso al audiolibro en el gimnasio acudieron a él un 51 por ciento más que el grupo de control.»[5]

La técnica de Milkman se denomina «sumar tentación» y puedes usarla siempre que quieras emplear la recompensa que te proporciona un comportamiento para incentivar otro. En mi caso, los artículos que guardo en Pocket son mi recompensa por hacer ejercicio.

Siempre que voy al gimnasio o doy un largo paseo, puedo escuchar los artículos mediante la prestación de lectura automática de la aplicación Pocket. Esta herramienta es increíble, y, en ella, la voz de internet estilo HAL 9000 se ve sustituida por la de un tipo con acento británico y alegre disposición, que me lee los artículos que yo mismo he seleccionado, y sin anuncios.

Leer mis artículos se convierte en una pequeña recompensa que, a menudo, me anima a ir al gimnasio o a salir a caminar mientras satisfago mi necesidad de estimulación intelectual y evito la tentación de ponerme a leer en mi mesa. ¡Eso, amigos y amigas, es lo que yo denomino la triple victoria de la manipulación a mi favor de las distracciones!

La multitarea multicanal es una táctica desaprovechada que nos permite hacer más todos los días. Podemos integrarla en nuestros horarios para lograr más tiempo de tracción y sumar tentación para disfrutar más de algunas actividades, como el ejercicio.

Mi manipulación es una forma de anular la seductora atracción de leer «solo una cosita más» o de tener una pestaña abierta «para luego». Al sustituir mis malos hábitos con nuevas normas y herramientas, he incrementado mi productividad y me he resistido a los cantos de sirena de HAL. Hoy en día, cuando los artículos en línea me tientan a hacer clic, soy yo quien responde con voz de robot: «Lo siento, internet, pero no puedo hacer eso».

RECUERDA

- **Los artículos en línea están plagados de posibles disparadores externos que nos distraen.** Las pestañas abiertas pueden llevarnos a descarrilar y tienden a hacernos caer en un vórtice de contenido donde acabamos perdiendo el tiempo.
- **Ponte normas.** Prométete que guardarás el contenido interesante para luego usando una aplicación como Pocket.
- **¡Sorpresa! Puedes hacer más de una cosa a la vez.** Usa la multitarea multicanal, como escuchar artículos mientras practicas ejercicio o celebrar reuniones caminando.

21

Manipula a tu favor los *feeds* de redes sociales

En el metro de Nueva York, a menudo me veo rodeado de un mar de personas que consultan sus redes sociales con la cabeza gacha, que deslizan el dedo por la pantalla intentando alcanzar la mítica línea de meta del *feed* antes de llegar a su parada. Las redes sociales son una fuente de distracción especialmente maligna; redes como X, Instagram y Reddit están diseñadas para activar disparadores externos: noticias, actualizaciones y notificaciones a granel.

El *feed* de noticias de Facebook o Instagram, que por mucho que deslices el dedo no se acaba nunca, tiene un diseño conductual ingenioso y es la respuesta de la empresa Meta a la inclinación humana por la búsqueda perpetua de novedades. Pero que esas redes utilicen algoritmos sofisticados para que nosotros sigamos deslizando el dedo no implica que no podamos manipular eso a nuestro favor; he descubierto que la forma más eficaz de recuperar el control es eliminar del todo el *feed* de noticias. ¿Pensabas que no se podía? Pues sí se puede. Se hace así.

Existe una extensión gratuita para el navegador llamada News Feed Eradicator ('erradicador del *feed* de noticias') que hace exactamente lo que promete:[1] elimina la fuente de innumerables y atractivos disparadores externos y los sustituye por citas inspiradoras. Si esta herramienta no te motiva, hay otro programa gratuito llamado Todobook que sustituye el *feed* de noticias de Facebook por la lista de tareas del usuario. En lugar de deslizar la pantalla, vemos las tareas que teníamos previsto acometer hoy. El *feed* solo se desbloquea cuando ya las hemos completado todas.[2] El fundador de Todobook, Ian McCrystal, declaró al blog de noticias Mashable: «A mí me encanta el *feed* de noticias, lo que pasa es que quiero tener una relación más sana con él [...] Buscaba un modo de mantener mi productividad sin perder el acceso a las partes de Facebook que me distraen menos». (En <NirAndFar.com/Indistractable> encontrarás enlaces a todas mis herramientas favoritas para que puedas manipular a tu favor las distracciones.)

Personalmente, sigo usando las redes, pero ahora las uso como yo quiero y no como pretenden Facebook o Instagram. Cuando quiero ver actualizaciones de algún amigo en concreto o participar en una conversación que está teniendo lugar en algún grupo, voy directamente a la página que quiero, en lugar de tener que resistirme al *feed* de noticias. Tengo tiempo reservado en el horario para consultar mis redes casi todos los días, pero sin los disparadores externos no deseados del *feed* de noticias que me tientan a caer por la madriguera de conejo de la frivolidad; entro y salgo en menos de quince minutos.

Aunque tecnologías como Todobook funcionan en distintas redes sociales, incluidas Reddit y X, hay otra forma de evitar las distracciones en ellas y en redes similares: saltarnos el *feed* usando un astuto protocolo de marcadores.

Por ejemplo, si escribes <LinkedIn.com> en la barra de direcciones del navegador, vas a parar a su *feed*, donde la sucesión de historias puede hacer que pases horas haciendo clic y deslizando el dedo. Aunque podría instalar una extensión de navegador llamada Newsfeed Burner, que elimina el *feed* de LinkedIn, a mí me beneficia esa información y no quiero que desaparezca por completo.[3] En este caso, en vez de eliminar el *feed*, lo que hago es elegir la URL exacta que quiero cuando visito esa web, asegurándome de elegir un destino con menos disparadores externos que me puedan distraer.

Así es como se hace: durante mi tiempo reservado para las redes sociales, hago clic en un botón de mi navegador para así activar una extensión denominada Open Multiple Websites ('Abre múltiples páginas web').[4] Como sugiere su nombre, el botón abre todas las direcciones de esa web que he cargado previamente. Como no quiero aterrizar en el *feed* de LinkedIn, tengo precargada la dirección <LinkedIn.com/messaging>, en la que puedo leer y responder a mensajes, en lugar de caer en las garras del *feed* eterno que me distrae. Con ese mismo clic, la extensión del navegador también abre <X.com/NirEyal>, donde puedo responder a comentarios y preguntas sin ver el infame e incendiario *feed* de X.

Al evitar el *feed*, es mucho más probable que use las redes sociales con cabeza sin dejar de tener tiempo para conectar con los demás de manera proactiva.

Del mismo modo que empresas como Facebook y LinkedIn implementan diseño conductual para que no dejemos nunca de deslizar el dedo, YouTube también tiene trucos psicológicos similares para que no dejemos de mirar vídeos con sus potentes disparadores externos. Cuando estás reproduciendo un vídeo, el algoritmo de YouTube se la juega y predice qué es más probable que veas a continuación, basándose en el tema de lo que estás viendo ahora mismo y tu historial.[5] YouTube te pone miniaturas de vídeos recomendados a la derecha de la página web, generalmente al lado de anuncios de vídeos patrocinados dirigidos a tus intereses. De una forma similar a como lo hacen los *feeds* de noticias, estas miniaturas aparecen en cuanto aterrizas en la página de inicio de YouTube y te lanzan a una búsqueda del tesoro digital. Esos disparadores externos existen para que reproduzcas un vídeo tras otro.

Por supuesto, pasar el rato en YouTube no tiene nada de malo. Yo tengo una caja de tiempo reservada en mi horario para darme el gusto de ver vídeos de YouTube, ¡y me encanta! Pero, en lugar de poner el siguiente vídeo recomendado sin planteármelo siquiera o hacer clic en la enésima sugerencia tentadora, uso algunas herramientas de manipulación para asegurarme de ver solo los vídeos que había planeado ver.

En concreto, me gusta la extensión gratuita para el navegador llamada DF Tube, que elimina muchos de los disparadores externos que me distraen y me deja ver el vídeo en paz.[6] He descubierto que quitar los vídeos sugeridos y los anuncios del lateral de la pantalla me ayuda mucho.

Esquivar los innumerables disparadores externos de las redes sociales, desde los *feeds* de noticias hasta los vídeos recomendados, supone un paso importante en nuestra cruzada para convertirnos en inmunes a la distracción. Independientemente de la herramienta concreta que elijas, la clave es recuperar el control de tu experiencia en lugar de permitir que las redes sociales controlen tu tiempo y tu atención.

RECUERDA

- **Los *feeds*, por ejemplo los de redes sociales, que nos empujan a deslizar el dedo por la pantalla, están diseñados para retenernos.** Los *feeds* están repletos de disparadores externos que pueden distraernos.
- **Manipula los *feeds* para recuperar el control sobre ellos.** Usa extensiones gratuitas para el navegador como News Feed Eradicator, Newsfeed Burner, Open Multiple Websites y DF Tube para eliminar disparadores externos que te distraen. (En <NirAndFar.com/Indistractable>, encontrarás los enlaces a estos servicios y a muchos otros.)

Cuarta parte

EVITA LAS DISTRACCIONES MEDIANTE COMPROMISOS

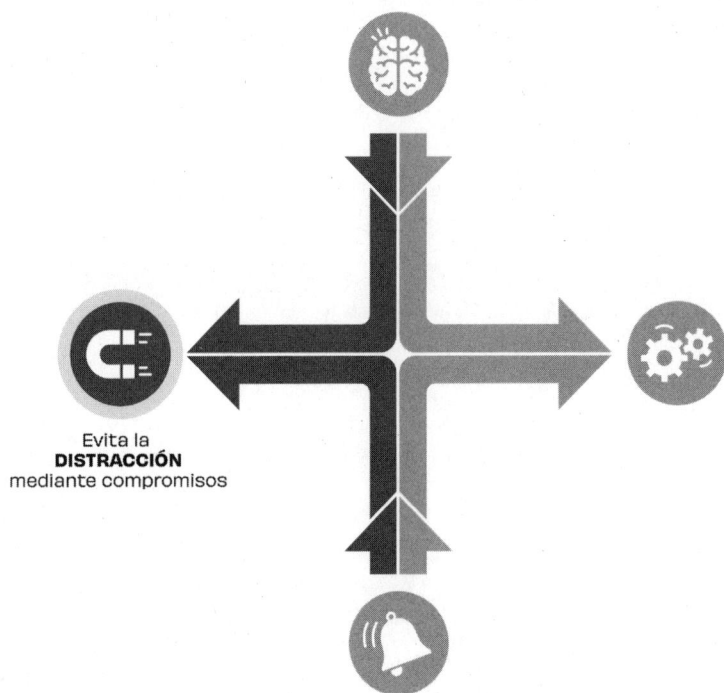

Evita la
DISTRACCIÓN
mediante compromisos

22

El poder de los compromisos previos

Jonathan Franzen, autor considerado el «gran novelista estadounidense» por la revista *Time*, se enfrenta a los mismos problemas que tú y que yo con las distracciones. Sin embargo, la diferencia entre Franzen y la mayoría de las personas es que él toma medidas drásticas para no perder la concentración. Según un perfil de la revista *Time* del año 2010:

> Emplea un portátil pesado y obsoleto marca Dell del que ha eliminado cualquier rastro de juegos, como el solitario, y lo ha dejado solo con el sistema operativo. Como Franzen cree que no se puede escribir ficción seria en un ordenador conectado a internet, no solo le quitó la tarjeta de red, sino que también bloqueó permanentemente el puerto ethernet. «Para hacerlo —explica—, tienes que conectar un cable ethernet con superglue y, después, cortarlo, de forma que el conector se quede pegado dentro.»[1]

Los métodos de Franzen pueden parecer extremos, pero las situaciones desesperadas requieren medidas desesperadas. Y Franzen no es el único que usa estos métodos. El afamado director Quentin Tarantino nunca escribe sus guiones en un ordenador, prefiere trabajar a mano en una libreta.[2] La escritora Jhumpa Lahiri, ganadora del premio Pulitzer, escribe sus libros con papel y bolígrafo y, a continuación, mecanografía en un ordenador sin internet.[3]

Lo que entienden estos profesionales creativos es que para concentrarse no basta con dejar fuera la distracción, también hay que meterse en vereda. Después de lo que hemos aprendido sobre dominar los disparadores internos, reservar tiempo para la tracción y manipular los disparadores externos, el último paso para ser inmunes a la distracción implica evitar distraernos solos. Para lograrlo, debemos aprender una técnica eficaz denominada «compromiso previo», que implica evitar tener que tomar decisiones en el futuro para superar nuestra impulsividad.[4]

Aunque los investigadores aún están estudiando por qué resulta tan beneficioso, el compromiso previo es, de hecho, una táctica antiquísima. Quizá el más icónico de la historia aparece en la *Odisea*. En la epopeya clásica, Ulises tiene que pasar con su barco cerca de la tierra de las sirenas, cuyo canto se sabe que embruja a los marineros y los atrae a sus costas. Cuando los barcos se aproximan a la isla de las sirenas, naufragan en las rocas y mueren.

Consciente del peligro que se avecina, Ulises traza un astuto plan para evitar acabar así. Ordena a sus hombres que se tapen los oídos con cera de abeja para no oír los cantos de las sirenas. Todo el mundo sigue la orden excepto él mismo, que quiere oír esa bella música.

Pero Ulises sabe que sentirá la tentación de llevar su barco en dirección a las rocas o saltar por la borda para acercarse a las sirenas. Para protegerse a sí mismo y a sus hombres, ordena a su tripulación que lo aten al palo mayor del barco y que no lo liberen ni cambien el curso hasta estar de nuevo en alta mar, da igual lo que él diga o haga. La tripulación de Ulises acata sus órdenes y, cuando el barco pasa por delante de la costa de las sirenas, él se vuelve temporalmente loco a causa de su canto. En un ataque de ira, pide a sus hombres que lo liberen, pero, como ellos no pueden oír ni a las sirenas ni a su capitán, siguen navegando hasta superar el peligro sin que nada malo suceda.

Un «pacto de Ulises» se define como «una decisión tomada de forma libre diseñada con la intención de establecer un compromiso en el futuro», y es un tipo de compromiso

En la *Odisea* de Homero, Ulises se resiste a los cantos de sirena mediante un compromiso previo que le permite evitar con éxito la distracción.

previo que seguimos usando hoy en día.[5] Por ejemplo, nos comprometemos previamente cuando firmamos testamentos vitales donde informamos a médicos y familiares sobre qué queremos hacer en caso de perder la lucidez. Nos comprometemos previamente con nuestra seguridad económica cuando ingresamos dinero en un plan de pensiones con duras penalizaciones en caso de retirar el dinero antes de tiempo para asegurarnos de no gastar los fondos que vamos a necesitar más adelante en la vida. Anhelamos la fidelidad que se promete en una relación para toda la vida unida por el contrato de matrimonio.

Estos compromisos previos son potentes, porque cimientan nuestras intenciones cuando tenemos la mente despejada y nos hacen menos propensos a actuar en contra de nuestros intereses más adelante. Del mismo modo que asumimos compromisos previos en otras áreas de nuestra vida, también podemos utilizarlos para contrarrestar la distracción.

El momento más eficaz para introducir un compromiso previo es después de abordar los tres primeros aspectos del modelo inmune a la distracción.

Si no hemos tratado los aspectos fundamentales de los disparadores internos que nos conducen a la distracción, como hemos aprendido en la primera parte, estaremos abocados al fracaso. Del mismo modo, si no hemos reservado tiempo para la tracción, como hemos aprendido en la segunda parte, los compromisos previos no servirán de nada. Y, por último, si antes de adquirir el compromiso previo, no eliminamos los disparadores externos que no están a nuestro servicio, lo más probable es que no funcione. Los compromisos previos son la última línea de defensa que evita que nos distraigamos. En los capítulos que siguen, exploraremos tres formas de compromisos previos que podemos usar para no descarrilar.

RECUERDA

- **Para ser inmune a la distracción, no solo hay que dejar fuera las distracciones.** También tenemos que contenernos.
- **Los compromisos previos pueden reducir las distracciones.** Nos ayudan a ejecutar decisiones que tomamos por adelantado.
- **Solo debes usar los compromisos previos después de aplicar las otras tres estrategias del modelo inmune a la distracción.** No te saltes los tres primeros pasos.

23

Evita las distracciones mediante compromisos de esfuerzo

Los inventores David Krippendorf y Ryan Tseng idearon un método sencillo para frenar su hábito indeseado de picotear algo poco saludable por las noches. Su dispositivo kSafe (anteriormente bautizado como Kitchen Safe) es un contenedor de plástico equipado con un cierre con temporizador en la tapa.

Después de introducir en él tus tentadores caprichos (por ejemplo, galletas Oreo, mi tentempié favorito) y activar el temporizador del kSafe, este se mantiene cerrado hasta que se agota el tiempo. Por supuesto, puedes abrir el contenedor a golpes con un martillo o salir corriendo a comprar más galletas, pero ese esfuerzo extra reduce la probabilidad de que elijas dicha opción. La idea de Krippendorf y Tseng era tan convincente que lograron obtener un contrato en el *reality* para emprendedores *Shark Tank*, y ahora su producto tiene más de 1.500 valoraciones con cinco estrellas en Amazon.[1]

kSafe es un ejemplo de compromiso previo. En concreto, demuestra lo útiles que son los compromisos de esfuerzo, una forma de compromiso que implica incrementar el esfuerzo necesario para llevar a cabo una acción no deseada. Estos compromisos previos pueden ayudarnos a ser inmunes a la distracción.

Un compromiso de esfuerzo evita
la distracción complicándonos
los comportamientos no deseados.

Vivimos inmersos en un aluvión de productos y servicios nuevos que nos ayudan a asumir compromisos de esfuerzo con nuestros dispositivos. Siempre que me siento a escribir en mi portátil, por ejemplo, hago clic en la aplicación SelfControl, que bloquea mi acceso a un montón de páginas web que me distraen, como Facebook y Reddit, así como al correo electrónico.[2] Puedo bloquear esas páginas todo el tiempo que necesite, normalmente en periodos de entre 45 minutos y una hora. Otra aplicación llamada Freedom es un poco más sofisticada y bloquea posibles distracciones no solo en mi ordenador, sino también en mis dispositivos móviles.

Forest, quizá mi aplicación favorita a prueba de distracciones, es la que acabo utilizando casi cada día.[3] Siempre que quiero asumir un compromiso de esfuerzo conmigo mismo para evitar distraerme con el móvil, abro Forest e indico cuánto tiempo quiero estar sin tocarlo. En cuanto doy al botón que dice Plant, aparece una semillita en la pantalla y se inicia una cuenta atrás. Si intento hacer algo con el teléfono antes de que acabe el temporizador, mi árbol virtual muere. La idea de matar a un arbolito virtual añade un esfuerzo extra que me quita las ganas de salir de la aplicación, un recordatorio visual del compromiso que he adquirido conmigo mismo.

Apple y Google también se han unido a la cruzada contra las distracciones digitales añadiendo a sus sistemas operativos prestaciones para asumir compromisos de esfuerzo. El sistema operativo iOS de Apple permite a los usuarios establecer límites de tiempo para determinadas aplicaciones mediante la función Tiempo de uso. Si los usuarios intentan acceder a una de las aplicaciones de la lista a determinadas horas, el teléfono los obliga a confirmar que quieren romper

La aplicación Forest es una forma sencilla de establecer un compromiso de esfuerzo con tu teléfono.

su compromiso mediante un paso adicional.[4] Las nuevas versiones de Android de Google vienen con la herramienta Bienestar digital con funciones similares.

Añadir cierto esfuerzo digital nos obliga a preguntarnos si vale la pena distraernos. Da igual si lo haces con la ayuda de un producto como kSafe o una aplicación como Forest, los compromisos de esfuerzo no solo puedes hacerlos contigo, otra manera muy eficaz de establecerlos es comprometiéndote con otras personas.

En generaciones anteriores, la presión social nos ayudaba a no descarrilar. Antes de la invención del ordenador personal, si alguien procrastinaba en su mesa, era muy evidente para el resto de los compañeros de la oficina. Leer un ejemplar de *Sports Illustrated* o *Vogue* o contar con todo detalle por teléfono nuestro largo fin de semana a un amigo indicaba claramente a nuestros compañeros que nos estábamos columpiando.

En cambio, hoy en día casi nadie puede ver qué estamos mirando o haciendo en la pantalla de nuestro ordenador en la oficina. Inclinados sobre el portátil, acabamos consultando los resultados del fútbol, las noticias o los cotilleos de los famosos durante nuestra jornada laboral. Quienes nos ven no pueden distinguir a simple vista si estamos examinando a la competencia o buscando posibilidades de negocio. Ocultos en la privacidad de la pantalla, la presión social para hacer lo que tenemos que hacer se disipa.

El problema se agudiza con el teletrabajo. Como yo suelo trabajar desde casa, me cuesta poco ponerme con otra cosa cuando debería estar escribiendo. ¿Podría resultarme útil recuperar un poco de presión social cuando me está costando concentrarme? Puse a prueba esta hipótesis y pedí a mi amigo Taylor, que también escribe libros, que viniera a trabajar conmigo. La mayoría de las mañanas nos sentamos uno al lado del otro en dos escritorios de la oficina que tengo en casa y pactamos trabajar en periodos de 45 minutos. Verlo esforzarse, sobre todo cuando noto que me fallan las fuerzas, y saber que él me ve a mí, ha hecho que siguiera haciendo la tarea que sabía que tenía que hacer. Reservar tiempo para concentrarte en el trabajo con un amigo ha demostrado ser eficaz para comprometerte con lo más importante.

Pero ¿qué pasa si no encuentras a un compañero con un horario compatible con el tuyo? Cuando Taylor se fue durante una semana para asistir a un congreso, tuve que recrear la experiencia de adquirir un compromiso de esfuerzo con otra persona. Por suerte, di con Focusmate. Con la idea de ayudar a personas de todo el mundo a concentrarse, facilitan los compromisos de esfuerzo mediante un servicio de videollamadas entre dos personas.

Cuando Taylor se marchó, me apunté a Focusmate. com y me emparejaron con un estudiante de Medicina checo llamado Martin. Como yo sabía que me estaría esperando para trabajar juntos a una hora concreta, no quería dejarlo tirado. Mientras Martin se esforzaba en memorizar la anatomía humana, yo me concentraba en escribir. Para evitar que las personas se salten sus reuniones, se anima a los participantes a dejar valoraciones de sus compañeros en la aplicación.*

Los compromisos de esfuerzo reducen la probabilidad de que dejemos a medias la tarea. Da igual si los hacemos con amigos y compañeros, o mediante herramientas como

---

* Me gustó tanto la aplicación que decidí invertir en Focusmate.

Forest, SelfControl, Focusmate o kSafe, los compromisos de esfuerzo son una forma sencilla pero muy eficaz de evitar distraernos.

RECUERDA

- **Un compromiso de esfuerzo evita la distracción complicándonos los comportamientos no deseados.**
- **En la era del ordenador personal, la presión social para hacer las tareas casi ha desaparecido.** Nadie ve en qué estamos trabajando, así que resulta fácil holgazanear. Trabajar al lado de un compañero o amigo durante un periodo de tiempo determinado puede constituir un compromiso de esfuerzo muy eficaz.
- **Puedes usar la tecnología para mantener a raya la tecnología.** Aplicaciones como SelfControl, Forest y Focusmate pueden ayudarte a asumir compromisos de esfuerzo.

24

Evita las distracciones mediante compromisos económicos

Un compromiso económico es una forma de compromiso previo que implica jugarnos dinero para animarnos a hacer lo que hemos dicho que haríamos. Si te ciñes al comportamiento que habías previsto, no pierdes el dinero, pero, si te distraes, sí. Aunque suena duro, los resultados son sorprendentes.

Un estudio publicado en el *New England Journal of Medicine* demostró el poder de los compromisos económicos examinando a tres grupos de fumadores que estaban intentando dejar ese hábito tan perjudicial.[1] En el estudio, un grupo de control recibió información, formación y métodos tradicionales, como parches de nicotina, para ayudarlos a dejar de fumar. Seis meses después, solo el 6 por ciento de las personas del grupo de control lo había dejado. Al siguiente grupo, llamado «grupo de la recompensa», les ofrecieron ochocientos dólares si seis meses después habían dejado de fumar; lo logró el 17 por ciento.

Sin embargo, el tercer grupo fue el que obtuvo los resultados más interesantes. En ese, llamado el «grupo del depósito», los participantes tenían que establecer un compromiso previo y depositar ciento cincuenta dólares de su propio bolsillo con la promesa de haber dejado de fumar al cabo de seis meses. Si, y solo si, lo conseguían, recuperarían su depósito. Además de recuperar su dinero, los participantes exitosos del grupo del depósito también recibirían una recompensa adicional de seiscientos cincuenta dólares (en lugar de los ochocientos que se ofrecía a los otros participantes) por parte de su empleador.

¿Resultado? ¡Un sorprendente 52 por ciento de quienes aceptaron el reto del depósito lograron su objetivo! Cabría pensar que una recompensa mayor supondría una motivación también mayor para lograr el objetivo, así que ¿por qué ofrecer una recompensa de ochocientos dólares fue menos eficaz que una de seiscientos cincuenta más la recuperación de los ciento cincuenta de depósito? ¿Quizá los participantes del grupo del depósito ya estaban más motivados desde el principio? Para evitar posibles sesgos, los autores del estudio emplearon solo datos de fumadores que estuvieran dispuestos a ser asignados a cualquiera de los tres grupos.

Al explicar los resultados, uno de los autores escribió que «a las personas les suele motivar más evitar perder que ganar algo». Perder es más doloroso que placentero es ganar. Esta tendencia irracional, conocida como «aversión a la pérdida», es una de las bases de la economía conductual.

Hemos aprendido cómo aprovechar el poder de la aversión a la pérdida. Hace unos años, me sentí frustrado por las numerosas excusas que me ponía para no hacer ejercicio con regularidad. En esa época, ir al gimnasio no podía resultarme más sencillo: las instalaciones, totalmente equipadas, estaban en mi mismo edificio. No podía achacar mis ausencias al tráfico, ni siquiera al coste mensual, porque era gratuito para los residentes. Incluso salir a dar un paseo largo habría sido mejor que no hacer nada. Y, sin embargo, nunca me faltaban motivos para saltarme el gimnasio.

Decidí asumir un compromiso económico conmigo mismo. Después de reservar tiempo en mi horario con cajas de tiempo, pegué con celo un billete nuevecito de cien dólares sobre el calendario que tengo colgado en la pared, al lado de mi siguiente cita con el gimnasio. Después me compré un mechero de un dólar y lo dejé ahí al lado. Cada día, tenía que

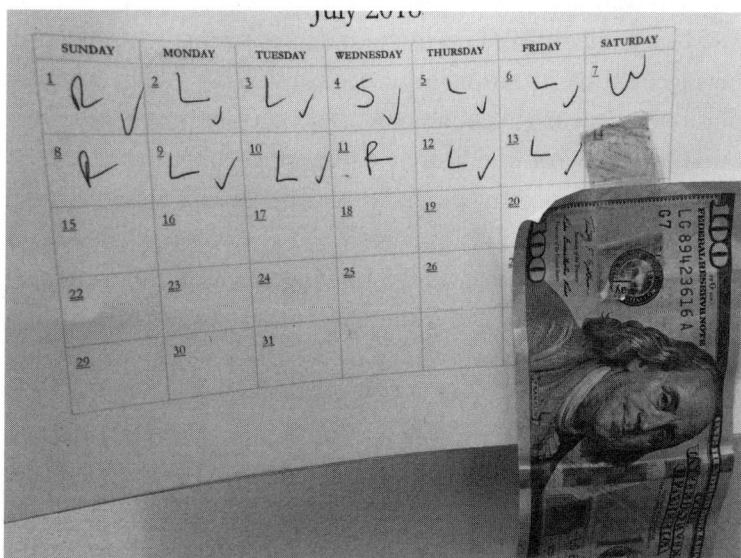

Mi calendario «o quemas lo uno o quemas lo otro» es una de las primeras cosas que veo por las mañanas. Me recuerda que o quemo calorías o quemo el billete de cien dólares.*

* Por si te lo estás preguntando, la R es de *«run»*, correr; L significa *«lift»*, levantar peso; S es de *«sprints»* y W es de *«walk»*, caminar. Las marcas de verificación indican que ese día escribí lo que tocaba.

elegir: o quemaba calorías haciendo ejercicio o quemaba el billete de cien dólares. A menos que el médico confirmara que estaba enfermo, solo tenía esas dos opciones.

Siempre que empezaban a ocurrírseme excusitas, tenía un disparador externo clarísimo que me recordaba mi compromiso previo conmigo mismo y con mi salud. Sé lo que estás pensando: «¡Qué exageración! ¡¿Cómo vas a quemar dinero?!». Es justo lo que pienso yo. Empleé esta técnica de «o quemas lo uno o quemas lo otro» durante más de tres años y gané más de cinco kilos de músculo sin quemar jamás los cien dólares.

Como ejemplifica mi método de «o quemas lo uno o quemas lo otro», un compromiso económico nos obliga a actuar poniendo precio a la distracción. Pero un compromiso económico no tiene por qué limitarse a dejar de fumar, perder peso o cumplir con objetivos deportivos; de hecho, a mí también me ha servido para alcanzar mis objetivos profesionales. Tras dedicar casi cinco años a investigar para este libro, sabía que por fin había llegado el momento de comenzar a escribir, pero me estaba costando sentarme a hacerlo y, en lugar de eso, acababa investigando más, tanto en internet como fuera. Y, lo que es peor, me veía a pocos clics de ponerme a consumir cosas que eran del todo irrelevantes para mis objetivos de escritura. Claramente, no estaba cogiendo tracción.

Al final, me harté de ponerme pero no ponerme, de los capítulos a medias y los resúmenes incompletos. Decidí jugarme algo y establecer un compromiso económico para responsabilizarme del importante objetivo de acabar de escribir este libro.

Le pedí a mi amigo Mark que fuera testigo de mi compromiso económico: si no acababa el primer borrador de este libro en una fecha determinada, tendría que pagarle 10.000 dólares. La sola idea me producía náuseas. Si tenía que entregarle ese dinero, todo lo que había ahorrado para las vacaciones de celebración de mi cuadragésimo cumpleaños se volatilizaría, junto con el dinero que guardaba para darme el lujo de comprarme un escritorio ajustable y, lo más doloroso, la finalización de este libro, un objetivo que quería cumplir desesperadamente.

Un compromiso económico resulta eficaz porque desplaza el dolor de la pérdida al momento presente, en lugar de situarlo en un futuro lejano. La cantidad de dinero en juego tampoco tiene importancia, siempre que te duela perderla. Para mí, ese compromiso económico fue como agua de mayo, porque saber que me estaba jugando tanto me hizo meter la directa. Me comprometí a escribir sin distracciones un mínimo de dos horas al día seis días a la semana, añadí ese tiempo a mi horario y lo cumplí todos los días. Al final, conservé mi dinero (y mis vacaciones y mi escritorio ajustable), y ahora tú estás leyendo el resultado de mi trabajo.

Llegados a este punto, quizá creas que los compromisos económicos son una defensa impenetrable contra la distracción. ¿Por qué no hacer que el precio de distraerte sea tan alto que nunca te desvíes del buen camino? Pues porque lo cierto es que los compromisos económicos no son para todo el mundo ni para todos los casos. Aunque los compromisos económicos resultan muy eficaces, también tienen sus inconvenientes. Para obtener los mejores resultados, debes conocerlos y planear cómo sortearlos.

Inconveniente 1: los compromisos económicos no funcionan bien para cambiar comportamientos frente a disparadores externos que no puedes evitar

Los compromisos económicos no son adecuados para cambiar determinados comportamientos. Este tipo de compromiso previo no es recomendable si no puedes eliminar el disparador externo asociado con el comportamiento.

Por ejemplo, morderse las uñas es un hábito endemoniadamente complicado de cambiar, porque la tentación aparece cada vez que la persona se ve las manos. Ese tipo de comportamientos repetitivos centrados en el cuerpo no son buenos candidatos para establecer compromisos económicos. Del mismo modo, es muy poco razonable intentar acabar un proyecto en el que necesitas concentrarte mucho al lado de un compañero que lo único que hace es enseñarte las últimas fotos de su cachorrito «supermono». Los compromisos económicos solo funcionan cuando está en tu mano desconectarte o apagar los disparadores externos.

Inconveniente 2: los compromisos económicos solo deberían utilizarse para tareas cortas

Implementar un compromiso económico como mi técnica de «o quemas lo uno o quemas lo otro» funciona bien cuando lo que necesitas son chutes breves de motivación: una visita al gimnasio, dos horas concentrado en escribir o surfear el impulso de encender un cigarrillo, por ejemplo. Si te sientes atado por un compromiso durante demasiado tiempo, empiezas a asociarlo con un castigo, lo que puede tener efectos contraproducentes, como que desarrolles resentimiento hacia esa tarea u objetivo.

Inconveniente 3: establecer un compromiso económico da miedo

A pesar de saber lo eficaces que son, mucha gente se estremece ante la idea de establecer un compromiso económico así en su vida, ¡a mí me pasó! Dudé mucho si comprometerme con mi técnica del «o quemas lo uno o quemas lo otro», porque sabía que implicaría tener que hacer el incómodo esfuerzo de ir al gimnasio. Del mismo modo, estrechar la mano a Mark y comprometerme a acabar el manuscrito me produjo sudores fríos. Solo más tarde comprendí lo ilógico que es resistirse a emplear una técnica para alcanzar un objetivo que incrementa mucho las probabilidades de éxito.

Espera cierta inquietud al asumir
un compromiso económico,
pero hazlo de todos modos.

Inconveniente 4: los compromisos económicos no son para las personas que se flagelan

Aunque el estudio que hemos mencionado antes sobre dejar de fumar es uno de los más exitosos que se han realizado, el 48 por ciento de los participantes del grupo del depósito no alcanzaron su objetivo. Cambiar el comportamiento resulta difícil, y algunas personas no lo consiguen. Cualquier programa de modificación de la conducta a largo plazo debe atender a quienes, por el motivo que sea, no logran su objetivo. Es vital saber recuperarse de un fracaso. Como hemos visto en el capítulo 8, responder a los reveses con compasión en lugar de criticándonos duramente es la forma de volver al buen camino. Si estás probando con un compromiso económico, asegúrate de ser capaz de mostrarte amable contigo mismo y entiende que siempre puedes reajustar el programa para volver a intentarlo.

Ninguno de los cuatro inconvenientes niega los beneficios de establecer un compromiso económico. Al contrario, son prerrequisitos para asegurarte de utilizar la herramienta correcta para la tarea. Cuando se usan bien, los compromisos económicos pueden constituir un método muy eficaz para concentrarse en una tarea difícil poniendo precio a la distracción.

RECUERDA

- **Un compromiso económico pone precio a las distracciones.** Se ha demostrado que es una forma de motivación muy eficaz.
- **Los compromisos económicos son más eficaces cuando puedes eliminar los disparadores externos que conducen a la distracción.**
- **Los compromisos económicos funcionan mejor cuando la distracción es temporal.**
- **Puede costarte asumir un compromiso económico.** Nos da miedo establecer compromisos económicos porque sabemos que de verdad vamos a tener que hacer lo que nos da miedo hacer.
- **Aprende a adoptar una actitud compasiva contigo mismo antes de adquirir un compromiso económico.**

25

Evita las distracciones mediante compromisos identitarios

Una de las formas más eficaces de cambiar nuestra conducta es cambiar nuestra identidad. Y no, no hace falta unirse a un programa de protección de testigos de la CIA para lograrlo. Al contrario, tal y como confirma la psicología moderna, modificar levemente cómo nos vemos tiene un efecto enorme en nuestros actos futuros.

Consideremos un experimento llevado a cabo por un grupo de psicólogos de la Universidad de Stanford en 2011.[1] Un joven investigador llamado Christopher Bryan diseñó un estudio para poner a prueba los efectos de lograr que alguien se vea a sí mismo de un modo ligeramente distinto. En primer lugar, pidieron a dos grupos de personas registradas como votantes que rellenaran un cuestionario sobre las siguientes elecciones. Las preguntas de uno de los grupos incluían el verbo «votar», por ejemplo: «¿Cómo de importante es para ti votar?». El segundo grupo respondió a preguntas similares que incluían la palabra «votante», del estilo: «¿Cómo de importante es para ti ser un votante registrado?».[2] La diferencia en el uso de las palabras parece menor, pero los resultados fueron extraordinarios.

Para medir el efecto de ese pequeño cambio de palabras, los investigadores preguntaron a los participantes por su intención de voto y cruzaron los datos con información pública del registro de votantes para confirmar si habían hecho lo que habían dicho. Los resultados fueron «uno de los efectos experimentales más importantes observados jamás relacionados con resultados de una votación medidos de manera objetiva», escribieron Bryan y sus coautores en un estudio publicado en *Proceedings of the National Academy of Sciences*.[3] Descubrieron que quienes habían realizado la encuesta sobre ser votantes eran más proclives a votar que quienes respondieron al cuestionario sobre votar.

Los resultados fueron tan sorprendentes que los investigadores replicaron el experimento durante otro periodo electoral para confirmar su validez. Los resultados fueron los mismos: el grupo de «votantes» ejerció su derecho mucho más que el grupo que iba a «votar».

La conclusión de Bryan fue: «Es más probable que alguien vote cuando votar se representa como una expresión del yo individual, un símbolo del carácter fundamental de esa persona, que como un simple comportamiento».

Nuestra autoimagen tiene un impacto medible en nuestro comportamiento y sus implicaciones van mucho más allá de las urnas. La identidad es otro atajo cognitivo que nos ayuda a tomar por adelantado decisiones que, de otro modo, serían complicadas. Por lo tanto, nos facilita la toma de decisiones.

Nuestra percepción de quiénes somos cambia lo que hacemos.

Nuestra opinión sobre nosotros mismos también tiene un gran impacto en cómo afrontamos las distracciones y los comportamientos no deseados. Un estudio publicado en el *Journal of Consumer Research* puso a prueba las palabras que utilizan las personas cuando se enfrentan a la tentación.[4] Durante el experimento, se indicó a un grupo que empleara las palabras «No puedo comer eso» al pensar en comer comida no saludable, mientras que el otro tenía que usar la frase «Yo no como eso». Al final del estudio, se ofreció a los participantes una chocolatina o una barrita de cereales a elegir para agradecer su participación en el estudio. Casi el doble de las personas del grupo «Yo no como eso» optaron por la opción saludable en comparación con el otro grupo.

Los autores del estudio atribuyen la diferencia al «empoderamiento psicológico» que produce decir «Yo no hago eso» en lugar de «Yo no puedo hacer eso». Los resultados son similares a los del estudio sobre los votantes. «No puedo» se relaciona con el comportamiento, «Yo no hago eso» nos dice algo sobre la persona.

Para aprovechar el poder de la identidad para evitar las distracciones, podemos establecer lo que yo denomino un «compromiso identitario», que es un compromiso previo con una autoimagen que nos ayuda a perseguir lo que de verdad queremos.

Hay un chiste muy viejo que dice:

—¿Cómo se reconoce a un vegetariano?

—No hace falta, él te lo explica.

Puedes cambiar vegetariano por cualquier cosa, desde maratoniano hasta marine, y el chiste sigue funcionando.

Yo fui vegetariano durante cinco años. Como sabe cualquiera que haya intentado seguir una dieta sin carne, los amigos siempre te preguntan: «¿Y no la echas de menos? ¡Es que está taaan buena!». ¡Pues claro que la echaba de menos! Sin embargo, cuando empecé a autodenominarme vegetariano, lo que antes me resultaba apetitoso, de algún modo, dejó de serlo. Las cosas que me encantaba comer ya no me resultaban ricas, porque había cambiado mi forma de definirme. No era que no pudiera comer carne, es que era vegetariano, y los vegetarianos no comen carne.

Cuando establecí ese compromiso identitario, estaba limitando mis decisiones futuras, pero dejó de costarme decir no a la carne. En lugar de ser una carga o una molestia, se convirtió en algo que, sencillamente, yo no hacía, de un modo parecido a cuando un musulmán practicante no bebe alcohol o un judío devoto no come cerdo, no lo hacen y punto.

Al alinear nuestra conducta
con nuestra identidad, tomamos decisiones
basadas en quién creemos ser.

Con eso en mente, ¿qué identidad deberíamos adoptar para ayudarnos a luchar contra las distracciones? A estas alturas, debería estar claro por qué este libro se titula *Inmune a la distracción*. ¡Di hola a tu nuevo alias! Al pensar en ti como inmune a la distracción, te empoderas mediante una nueva identidad. También puedes usarla como una forma racional de decir a los demás por qué haces cosas «raras» como planificar tu tiempo meticulosamente, negarte a reaccionar de inmediato a cualquier notificación o poner un letrero en tu pantalla cuando no quieres que te molesten. Estos actos no son más raros que cualquier otra expresión identitaria, como vestir prendas que delatan tu religión o llevar una dieta determinada. ¡Ha llegado el momento de ser inmune a la distracción, y con orgullo!

Hablar a los demás sobre tu nueva identidad es un modo maravilloso de afianzar tu compromiso. ¿Te has fijado en que muchas religiones animan a sus fieles a hacer proselitismo? El trabajo de los misioneros es una manera de aumentar el número de adeptos, pero, en términos psicológicos, promover la evangelización tiene más objetivos que hacer que los no creyentes se sumen a tu culto. Según diversos estudios recientes, predicar a otros tiene un gran impacto en la motivación y la adhesión de quien lo lleva a cabo. Las investigadoras Lauren Eskreis-Winkler y Ayelet Fishbach han realizado experimentos con distintos grupos, desde desempleados que buscan trabajo a niños con problemas en el colegio. Sus resultados muestran de un modo consistente que enseñar a otros motiva más a quien enseña a cambiar su propio comportamiento que si quien enseña se pusiera a aprender de alguien experto.[5]

¿Tenemos derecho a enseñar a los demás algo que nosotros mismos no dominamos? ¿Deberíamos ir predicando cuando estamos lejos de ser perfectos? Algunos estudios demuestran que enseñar a los demás puede resultar más eficaz a la hora de cambiar nuestro comportamiento futuro que admitir que algo nos cuesta.[6] Como aseguran Eskreis-Winkler y Fishbach en la *MIT Sloan Management Review*, cuando las personas confiesan errores del pasado son capaces de reconocer cuándo se equivocaron sin desarrollar una autoimagen negativa.[7] En cambio, enseñar nos empodera a construir una identidad distinta, como demuestra el hecho de ayudar a que otras personas no cometan los mismos errores.

Otra manera de reforzar nuestra identidad es mediante rituales. Volvamos a fijarnos en la religión. Muchas prácticas religiosas no son sencillas, al menos vistas desde fuera. Rezar cinco veces al día en dirección a La Meca o recitar determinadas bendiciones antes de cada comida supone un esfuerzo. Sin embargo, para quienes se adhieren a ellas de forma estricta, estas rutinas son algo que hacen sin más, sin fallar nunca y sin cuestionárselas. ¿Y si pudiéramos recurrir a esa dedicación para llevar a cabo tareas difíciles? Imagina tener la fortaleza para concentrarte en lo que sea que quieras con la disciplina de un auténtico creyente.

Nuevas investigaciones sugieren que los rituales seculares, en el lugar de trabajo y en la vida diaria, pueden tener un efecto muy potente. Un estudio realizado por Francesca Gino, profesora de la Escuela de Negocios de Harvard, y sus colegas exploró de qué manera afectan los rituales al autocontrol estudiando a personas que querían perder peso.[8] Se pidió al primer grupo del estudio que cobrara consciencia de lo que comía durante cinco días. Al segundo grupo le enseñaron un ritual de tres pasos para antes de las comidas: en primer lugar, tenían que cortar la comida; en segundo, ordenar los trozos sobre el plato de manera simétrica; y, en tercero, golpear tres veces la comida con los cubiertos antes de comerla. Tonto, sí, pero también sorprendentemente eficaz. Los participantes en el estudio que siguieron el ritual antes de las comidas ingirieron, de media, menos calorías, menos grasa y menos azúcar que los del «grupo consciente».

La profesora Gino cree que los rituales «pueden parecer una pérdida de tiempo. Sin embargo, como sugiere nuestra investigación, son bastante potentes». Y sigue: «Incluso cuando no están imbuidos de años de tradición, los rituales sencillos pueden ayudarnos a generar disciplina personal y autocontrol».*

Aunque la sabiduría convencional afirma que nuestras creencias dan forma a nuestro comportamiento, al revés también funciona.[9]

La evidencia sobre la importancia de los rituales refuerza la idea de tener un horario regular, tal y como se describe en la segunda parte de este libro. Cuanto más nos ceñimos a nuestros planes, más reforzamos nuestra identidad. También podemos incorporar otros rituales a nuestra vida para ayudarnos a recordarnos cuál es dicha identidad. Por ejemplo, yo tengo como ritual repetirme una serie de mantras todas las mañanas. Los he recopilado a lo largo de los años y me los digo todos los días antes de ponerme a trabajar. Dedicar un momento a leer fragmentos de sabiduría sobre la inmunidad a la distracción, como la cita de William James: «El arte de ser sabio es el arte de saber qué hay que pasar por alto», refuerza mi identidad mediante el ritual.[10]

También busco oportunidades de etiquetarme como inmune a la distracción. Por ejemplo, cuando trabajo desde casa, les digo a mi mujer y a mi hija que no se me puede molestar, porque soy inmune, antes de concentrarme en

---

* Aunque los rituales pueden contribuir al autocontrol, no sirven para todo el mundo. Los comportamientos rituales relacionados con la comida no son recomendables para quienes sufren trastornos de la conducta alimentaria.

algo. Como has aprendido en el capítulo 18, uso el modo No molestar de mi teléfono para enviar mensajes automáticos que informan de que no se me puede molestar a cualquiera que intente ponerse en contacto conmigo cuando me concentro. Incluso hice camisetas que llevan escrito «Inmune a la distracción» a la altura del pecho para reforzar mi identidad cada vez que me miro en el espejo o cuando alguien me pregunta por ella.

Estableciendo compromisos identitarios, somos capaces de construir la autoimagen que queremos. Da igual si el comportamiento está relacionado con lo que comemos, con cómo tratamos a los demás o con cómo gestionamos las distracciones, esta técnica puede ayudarnos a moldear nuestro comportamiento para que refleje nuestros valores. Aunque a menudo asumimos que nuestra identidad es fija, nuestra autoimagen es, de hecho, flexible, un mero constructo de nuestra mente. Es un hábito mental y, como hemos aprendido, los hábitos pueden mejorarse.

Ahora que conoces las cuatro partes del modelo inmune a la distracción, ya puedes poner en práctica las estrategias. Asegúrate de que empleas las cuatro partes del modelo (tracción/distracción, disparadores internos/disparadores externos) para compartir el modelo con otras personas, así como acceder a él la próxima vez que te enfrentes a distracciones.

Hasta el momento, nos hemos centrado sobre todo en lo que puedes hacer tú para convertirte en inmune a la distracción. Pero debemos reconocer que trabajamos y vivimos con otras personas. A continuación, nos sumergiremos en cómo afecta la cultura de tu lugar de trabajo a la distracción. Después, aprenderemos por qué los niños abusan de sus distracciones y qué podemos aprender de su necesidad de «nutrientes psicológicos». Por último exploraremos cómo podemos ser inmunes a la distracción con amigos y seres queridos, y ayudarlos también a ellos a concentrarse.

RECUERDA

- **La identidad influye enormemente en nuestro comportamiento.** Las personas tienden a alinear sus actos con cómo se ven.
- **Un compromiso identitario es un compromiso previo con una autoimagen.** Puedes evitar la distracción actuando en consonancia con tu identidad.
- **Conviértete en un nombre.** Al ponerte un alias, puedes incrementar la probabilidad de comportarte de forma acorde con cómo te llamas. Autodenomínate «inmune a la distracción».
- **Cuéntaselo a los demás.** Enseñar a otras personas refuerza tu compromiso si sigues teniendo dudas. Una forma genial de ser inmune a la distracción es contar a tus amigos lo que has aprendido en este libro y los cambios que estás llevando a cabo en tu vida.
- **Adopta rituales.** Repetir mantras, tener un horario con cajas de tiempo o llevar a cabo otras rutinas refuerza tu identidad e influye en tus actos futuros.

Quinta parte

CÓMO HACER QUE TU LUGAR DE TRABAJO SEA INMUNE A LA DISTRACCIÓN

26

La distracción es señal de disfunción

Los lugares de trabajo modernos son una fuente de distracción constante. Planeamos trabajar en un gran proyecto que nos exige toda nuestra atención, pero viene nuestro jefe a pedirnos algo y nos distrae. Nos reservamos una hora para concentrarnos en un tema, pero nos interrumpen porque se ha convocado otra reunión «urgente». Quizá hemos conseguido hacer tiempo para estar con nuestra familia o amigos después de muchas horas en la oficina, pero resulta que nos ponen una videollamada a última hora de la tarde.

Aunque ya hemos hablado de diversas tácticas en capítulos anteriores, incluidas las cajas de tiempo, la sincronización de horarios y la manipulación a nuestro favor de los disparadores externos en el lugar de trabajo, para algunos, el problema va más allá de mejorar las propias habilidades.

Mientras vamos aprendiendo por nuestra cuenta a controlar las distracciones, ¿qué hacemos cuando es nuestro trabajo el que interrumpe una y otra vez nuestra planificación? ¿Cómo podemos hacer lo más conveniente para nuestra carrera profesional, por no hablar de nuestra empresa, si no dejan de distraernos? ¿El entorno laboral actual, que pretende que estemos disponibles las veinticuatro horas, es una nueva normalidad de la que no podemos escapar o hay una forma mejor de hacer las cosas?

Para muchos, la fuente del problema es la adopción de distintas tecnologías. Al fin y al cabo, a medida que herramientas como el correo electrónico, los *smartphones* y los grupos de mensajería instantánea proliferan en las empresas, se espera que los empleados las utilicen para entregar lo que les pidan sus jefes cuando estos quieran. Sin embargo, nuevas investigaciones sobre por qué nos distraemos en el trabajo han hecho emerger causas más profundas.

Como ya hemos visto en la primera parte, muchas distracciones nacen de la necesidad de huir de la incomodidad psicológica. ¿Qué es lo que incomoda tanto al empleado moderno? Cada vez hay más evidencia de que algunas organizaciones maltratan a sus empleados. De hecho, un metaanálisis de 2006 que llevaron a cabo Stephen Stansfeld y Bridget Candy, del University College de Londres, concluyó que existe un tipo de ambiente laboral determinado que puede causar depresión clínica.[1]

El estudio de Stansfeld y Candy exploraba distintos factores posibles del lugar de trabajo que sospechaban que podían conducir al desarrollo de una depresión, incluida la calidad del trabajo en grupo, el nivel de apoyo social y la seguridad laboral. Aunque esos factores suelen ser tema de conversación en la máquina del café, todos ellos demostraron estar poco correlacionados con la salud mental.

En cambio, sí hallaron dos condiciones que predecían una mayor probabilidad de desarrollar una depresión en el trabajo. «No importa tanto lo que haces como el ambiente laboral donde lo haces», me dijo Stansfeld.[2]

La primera condición implicaba lo que los investigadores denominaron «presión laboral». Este factor se halló en ambientes en los que se esperaba que los empleados cumplieran con unas expectativas muy altas, pero donde no tenían la capacidad de controlar los resultados. Stansfeld añadió que esta presión se advierte tanto en puestos de oficina como de fábrica, y lo comparó con la sensación de trabajar en una cadena de montaje sin poder ajustar el ritmo de producción, ni siquiera cuando las cosas se tuercen. Como en el episodio de *I Love Lucy* en el que Lucille Ball se dedica a poner el envoltorio de los bombones en una fábrica, los trabajadores de oficina pueden experimentar la presión laboral como una acumulación de correos electrónicos o demandas que avanzan hacia ellos a toda velocidad como bombones sin envolver por una cinta transportadora.

El segundo factor que establece una correlación entre el lugar de trabajo y la depresión es un ambiente con un «desequilibrio esfuerzo-recompensa», en el que los trabajadores no reciben gran cosa a cambio de su esfuerzo, ya sea mediante aumentos de sueldo o reconocimiento. Según Stansfeld, en el centro tanto de la presión laboral como del desequilibrio esfuerzo-recompensa, encontramos la falta de control.

La depresión supone un coste de más de 51.000 millones de dólares en absentismo a la economía estadounidense, según Mental Health America, pero ese número solo es la punta del iceberg en cuanto a pérdidas, porque posiblemente hay millones más de estadounidenses que sufren en el trabajo pero no tienen un diagnóstico.[3] Es más, tampoco tiene en cuenta los síntomas de depresión leve causados por ambientes laborales malsanos, que conducen a consecuencias no deseadas como la distracción. Y del mismo modo que acudimos a nuestros dispositivos para huir de la incomodidad, a menudo recurrimos a la tecnología para sentirnos mejor cuando tenemos la sensación de no controlar nada. Consultar el correo electrónico o meter baza en una conversación del grupo de mensajería proporciona la sensación de estar siendo productivo, independientemente de si nuestros actos mejoran o no las cosas.

La tecnología no es la causa origen
de la distracción en el trabajo.
El problema es mucho más profundo.

Leslie Perlow, consultora reconvertida en profesora de la Escuela de Negocios de Harvard, lideró un vasto estudio de cuatro años que documentó en su libro *Sleeping with Your Smartphone* [Dormir con tu *smartphone*].[4] En él habla de los gerentes de Boston Consulting Group (BCG), una firma líder en consultoría estratégica, que perpetuaban la cultura de grandes expectativas y escaso control sobre el trabajo que se asocia con la enfermedad mental.

Por ejemplo, Perlow describe un proyecto liderado por dos socios de la firma con estilos de trabajo opuestos. Uno de ellos era madrugador, y el otro prefería trabajar de noche. Como una pareja enzarzada en un divorcio complicado, esas dos personas rara vez estaban en la misma habitación y se comunicaban a través de los miembros de su equipo. Uno de los consultores del equipo recuerda:

El más joven de los dos nos pedía constantemente que ampliáramos los temas y añadiéramos cosas, lo que se convertía en presentaciones de entre 40 y 60 diapositivas para las reuniones semanales. El mayor se preguntaba por qué estábamos todos en el tramo rojo [trabajando más de 65 horas a la semana] [...] Uno de ellos se quedaba despierto hasta tarde y nos mandaba cambios a las once de la noche; el otro madrugaba y nos enviaba correos electrónicos a las seis de la mañana [...] Nos atacaban por los dos flancos.[5]

Quizá sea un caso anecdótico, pero los problemas subyacentes no lo son en absoluto. Los empleados que cumplen con sus obligaciones e intentan contentar a sus jefes suelen sentirse incapaces de cambiar el funcionamiento de las cosas. Como declaró un consultor entrevistado por Perlow: «Los socios prefieren que les digan que "sí" en lugar de "no", y yo solo intento darles lo que quieren».

Si un jefe envía un correo electrónico a una hora tradicionalmente reservada para la familia o para dormir, ese correo se lee y se contesta. Si un jefe quiere convocar una reunión para comentar lo que él crea que hay que comentar, da igual si hay algo más urgente que hacer, el equipo lo dejará todo y asistirá a la reunión. Si un jefe cree que su equipo tiene que quedarse trabajando hasta tarde (sin respetar los planes personales previos de sus empleados), bueno, ya sabes cómo va.

La incorporación de tecnología a esta cultura corrosiva solo empeora las cosas. Perlow describe la presión que sienten los empleados, que creen que tienen que estar siempre disponibles, y que se amplifica mediante lo que ella denomina «ciclo de disponibilidad». Escribe: «La presión para estar conectado generalmente surge de lo que parece un motivo legítimo, como solicitudes de clientes, usuarios o compañeros de trabajo de otras zonas horarias». Como resultado de esto, los empleados «empiezan a ajustarse a esas demandas: adaptan la tecnología que emplean, alteran sus horarios diarios, su manera de trabajar e incluso su forma de vivir la vida e interactuar con sus familias y amigos, para atender mejor el incremento de demandas sobre su tiempo».

Este aumento de su disponibilidad tiene un coste muy elevado. Contestar correos electrónicos durante el partido de fútbol de tu hijo hace que tus compañeros esperen respuestas rápidas en momentos que antes se consideraban fue-

I. «Aquí la gente está siempre conectada.»

4. Aumenta la expectativa de que estés siempre disponible.

2. El control sobre el propio tiempo disminuye.

3. «Para avanzar en la empresa tengo que estar siempre disponible.»

Aunque la tecnología perpetúa este círculo vicioso de disponibilidad, la causa real es una cultura disfuncional. (Fuente: Inspirado por el libro de Leslie Perlow *Sleeping with Your Smartphone*.)

ra del ámbito laboral; como resultado, las peticiones de la oficina convierten el tiempo personal o en familia en horas de trabajo.

Más peticiones implican más presión para responder, a medida que las bandejas de entrada se desbordan y los mensajes de Slack no dejan de acumularse. Antes de que nos demos cuenta, la disponibilidad total se convierte en la norma en la oficina, que es exactamente lo que sucedió en BCG.

El ciclo de disponibilidad está causado por un torrente de consecuencias. Tecnologías como el teléfono móvil y Slack perpetúan el ciclo, pero no son la causa en sí del problema, más bien, su uso excesivo es un síntoma.

La culpable es, más bien,
una cultura laboral disfuncional.

Cuando Perlow detectó el origen del problema, ayudó a la empresa a cambiar su cultura tóxica. En el proceso, reveló que, si una compañía no era capaz de abordar un problema como el uso excesivo de la tecnología, era más que probable que también escondiera todo tipo de problemas más profundos. En los siguientes capítulos, me extenderé sobre lo que hizo Perlow para ayudar a BCG y sobre lo que puedes hacer tú para cambiar la cultura de la distracción en tu lugar de trabajo.

RECUERDA

- **Se ha determinado que los empleados con trabajos en los que se enfrentan a grandes expectativas y escaso control pueden desarrollar síntomas depresivos.**
- **Los síntomas relacionados con la depresión son dolorosos.** Las personas se sienten mal y se distraen para evitar su dolor y recuperar la sensación de control.
- **El uso excesivo de la tecnología en el trabajo es síntoma de una cultura empresarial disfuncional.**
- **Usar más tecnología empeora el problema subyacente, lo que perpetúa un «ciclo de disponibilidad».**

27

Corregir las distracciones pone a prueba la cultura empresarial

Cuando Leslie Perlow inició su investigación en Boston Consulting Group, sabía perfectamente que la empresa tenía fama de trabajar las 24 horas del día. Sus entrevistas con miembros del equipo de BCG no tardaron en revelar por qué a la empresa le costaba retener a los trabajadores.* La falta de control sobre los horarios y la expectativa de que estuvieran siempre disponibles eran los principales motivos por los que la gente se iba.

Para abordar el tema, Perlow dio con una propuesta sencilla: si todas las personas que trabajaban en BCG odiaban eso de estar siempre disponibles, ¿por qué no probaban a conceder a todos los consultores al menos «una noche libre concreta a la semana»? Esto proporcionaría a los trabajadores un tiempo libre de llamadas telefónicas y notificaciones de correo electrónico, y les permitiría hacer planes sin miedo a quedarse atrás en el trabajo.[1]

Perlow trasladó la idea a George Martin, un socio ejecutivo de la oficina de Boston, que no tardó en responder que

---

* Mi primer trabajo al acabar la carrera fue en BCG, mucho antes de que Perlow hiciera su investigación. Me fui de allí en cuanto pude.

ni se acercara a sus equipos. Sin embargo, y quizá en un intento de desacreditar a la investigadora curiosa, le dio permiso para «pasearse por la oficina» y buscar a «otro socio dispuesto a hacerlo». Perlow acabó encontrando a un socio joven llamado Doug, que tenía dos niños pequeños en casa y un tercero en camino. Doug estaba teniendo problemas para conciliar y accedió a que su equipo fuera el conejillo de Indias del experimento de Perlow. Empezando por Doug y su gente, Perlow propuso el desafío y comenzó a estudiar cómo se las apañaba el equipo para intentar que todo el mundo desconectara de algún modo.

En primer lugar, Perlow confirmó que tener una noche libre a la semana era un objetivo universal que todos los miembros del equipo deseaban. Después de oír un sonoro sí, dejó que fuera el equipo quien decidiera cómo estructurar exactamente los días de trabajo para alcanzar esa meta. El equipo se reunía de manera regular para tratar los obstáculos que les impedían conseguir tener «una noche libre» y dieron con nuevas prácticas que debían implementar para que se hiciera realidad.

Durante años, los consultores de BCG habían oído innumerables motivos para justificar su disponibilidad constante. «Trabajamos en el sector servicios», «Trabajamos con todas las zonas horarias» y «¿Qué pasa si un cliente nos necesita?» eran respuestas habituales que cortaban de raíz cualquier intento de buscar una mejor manera de trabajar. Sin embargo, en cuanto tuvieron la oportunidad de tratar abiertamente el problema, el equipo de Doug descubrió que había muchas soluciones sencillas.

Una demanda habitual de ese lugar de trabajo, que solía zanjarse con «así es como tiene que ser», podía resolverse si se proporcionaba un espacio seguro para hablar, sin miedo a que tildaran de «panda de vagos» a quienes quisieran apagar el teléfono y el ordenador durante unas horas.

Para sorpresa de Perlow, aquellas reuniones fueron mucho más beneficiosas de lo que había previsto, y abordaron temas que iban mucho más allá de la desconexión de la tecnología. Las reuniones para hablar sobre un tiempo libre prefijado «permitieron a todo el mundo expresarse libremente», lo que, en palabras de Perlow: «no era moco de pavo».

Los miembros del equipo comenzaron a cuestionar otras normas de la empresa. Tener un espacio donde preguntar «¿Por qué tienen que ser así las cosas?» les proporcionó un foro para generar nuevas ideas. «No había tabús de ningún tipo —afirmó un consultor—. Se podía hablar de todo.» Los miembros más veteranos del equipo «no siempre estaban de acuerdo, pero podía sacarse cualquier tema».

Lo que había empezado como un debate
sobre la desconexión se convirtió
en un foro para dialogar abiertamente.

Los jefes también encontraron un entorno donde explicar los grandes objetivos y estrategias, temas que antes se habían dejado de lado porque había mucho trabajo que hacer. Con una perspectiva más clara de en qué medida contribuía su trabajo a un plan global, los miembros del equipo se sintieron más empoderados y capaces de influir en el resultado de sus proyectos. A medida que las ideas fluían, las reuniones se convirtieron en oportunidades naturales para felicitar a los miembros del equipo por sus contribuciones, plantear preocupaciones y hablar de temas que antes no se podrían haber abordado en ningún sitio.

Aceptar el reto de Perlow había frenado el ciclo de disponibilidad. En lugar de culpar a la tecnología de sus problemas, el equipo reflexionó sobre por qué estaba abusando de su uso. La cultura tóxica de la disponibilidad total dejó de aceptarse como algo que así debía ser y empezó a verse como otro reto que podía superarse una vez que se había dado permiso a la gente para abordarlo de manera abierta.

Lo que había comenzado como un reto para encontrar el modo de permitir que los miembros de un equipo desconectaran una noche a la semana cambió profundamente la cultura laboral de BCG. BCG, que había sido un ejemplo por antonomasia del ambiente laboral que se asocia con mayores tasas de depresión, según el estudio de Stansfeld y Candy, inició una transformación total como empresa.

Hoy en día, numerosos equipos de la empresa (incluido el de George Martin, de la oficina de Boston) han adoptado la práctica de celebrar reuniones regulares para asegurarse de que todo el mundo tiene tiempo para desconectar. Y, lo que es más importante, proporcionar un espacio seguro para pronunciarse con transparencia sobre todo tipo de temas ha incrementado la sensación de control y se ha convertido en una manera inesperada de mejorar la satisfacción laboral y la conservación del personal. Cuando se proporcionó a los miembros del equipo lo que necesitaban para prosperar, hallaron formas de abordar los problemas reales que habían estado frenándolos tanto a ellos como a la empresa.

___

Las empresas siempre confunden
la enfermedad de la cultura nociva
con síntomas como el uso excesivo
de tecnología o una gran rotación
de empleados.

___

El problema que descubrió Perlow en BCG es una plaga en empresas de todos los tamaños y sectores. Hace poco, Google se planteó intentar entender qué potenciaba la retención de empleados y la calidad de los resultados de los equipos. El buscador anunció las conclusiones de un estudio de dos años para entender, de una vez por todas, la respuesta a la pregunta: «¿Qué hace que un equipo de Google sea eficaz?».

Antes de empezar, el equipo investigador estaba bastante seguro de lo que iba a encontrar: los equipos más eficaces son los que tienen a los mejores miembros. Como escribe Julia Rozovsky, una de las investigadoras del proyecto:

> Coges a un ganador de la beca Rhodes, dos personas extrovertidas, un ingeniero que domine AngularJS y un doctorado. *Voilà.* Un *dream team.* ¿A que sí? Pues no. Estábamos completamente equivocados. Los miembros del equipo no importan tanto como su forma de interactuar entre ellos, la estructura de su trabajo y cómo consideran que se reciben sus aportaciones.

Los investigadores hallaron cinco dinámicas claves para distinguir a un equipo exitoso. Las cuatro primeras eran fiabilidad, estructura y claridad, trabajo con sentido e impacto del trabajo. Sin embargo, la quinta era sin duda la más importante y la que sostenía a las otras cuatro. Era algo denominado «seguridad psicológica». Rozovsky lo explica:

> Los individuos de los equipos que se sienten más seguros psicológicamente es menos probable que se vayan de Google y más probable que aprovechen la fuerza de la diversidad de ideas de sus compañeros de equipo, que proporcionen mayores beneficios y que los ejecutivos los evalúen como eficaces con el doble de frecuencia que al resto.

El término «seguridad psicológica» fue acuñado por Amy Edmondson, una científica del comportamiento organizacional de Harvard. En su charla TEDx, Edmondson define «seguridad psicológica» como «la creencia de que no seremos castigados ni humillados por plantear en voz alta ideas, preguntas, preocupaciones o errores».[2] Alzar la voz parece sencillo, pero si no sientes seguridad psicológica te comerás tus preocupaciones y no compartirás tus ideas.

Rozovsky sigue:

> Resulta que somos reticentes a comportarnos de formas que podrían influir negativamente en cómo perciben los demás nuestra competencia, consciencia y positividad. Aunque estos mecanismos de autoprotección son una estrategia natural en el lugar de trabajo, esto va en detrimento del trabajo en

equipo. En cambio, cuanto más seguros se sientan los miembros del equipo los unos con los otros, más probable es que admitan sus errores, colaboren y asuman nuevos roles.

La seguridad psicológica es el antídoto para los ambientes laborales que Stansfeld y Candy hallaron en su estudio que causan depresión. También es el ingrediente mágico que descubrieron los equipos de BCG cuando empezaron a reunirse regularmente para abordar el reto de dar a sus empleados tiempo libre programado.

Saber que tu voz importa y que no estás atascado en una máquina que no puede cambiarse y a la que no le importas tiene un impacto positivo en el bienestar.

¿Cómo crea seguridad psicológica un equipo o, si vamos al caso, una empresa? Edmondson proporciona una respuesta en tres pasos en su charla:

- **Paso 1**: «Considera el trabajo un problema de aprendizaje, no de ejecución». Como el futuro es incierto, haz hincapié en que «hay que poner en juego el cerebro y las voces de todo el mundo».
- **Paso 2**: «Reconoce tu falibilidad». Los jefes tienen que hacer saber a los demás que nadie posee todas las respuestas: estamos juntos en esto.
- **Paso 3**: Por último, los líderes deben ser un «modelo de curiosidad y hacer muchísimas preguntas».[3]

Edmondson insiste en que las organizaciones, sobre todo las que operan en condiciones de gran incertidumbre e interdependencia entre miembros del equipo, también necesitan tener niveles altos de motivación y seguridad psicológica, un estado que ella denomina «zona de aprendizaje».

En la zona de aprendizaje es donde mejor desempeño tienen los equipos y donde puedes expresar preocupación sin miedo a que te ataquen o te despidan. Es donde pueden resolverse los problemas, como el del exceso de uso de la tecnología y la distracción, sin que te juzguen como alguien que no está dispuesto a asumir su carga de trabajo. Es donde puede disfrutarse de una cultura empresarial que libera de los molestos disparadores internos que surgen cuando se siente que se ha perdido el control.

Solo cuando las empresas proporcionan a sus empleados un lugar seguro donde expresar sus preocupaciones y resolver juntos los problemas pueden superarse algunas de las mayores dificultades en el lugar de trabajo. Crear un entorno en el que los empleados puedan dar lo mejor de sí mismos sin distracciones pone a prueba la calidad de la cultura de esa empresa. En el próximo capítulo, aprenderemos de las empresas que superan con creces ese reto.

RECUERDA

- **No sufras en silencio.** En un lugar de trabajo en el que las personas no pueden hablar del exceso de uso de la tecnología tampoco se habla de otros temas importantes (y no se comparten ideas).
- **Saber que tu voz importa es esencial.** Los equipos que promueven la seguridad psicológica y facilitan espacios para discutir abiertamente y con regularidad los temas que les preocupan no solo tienen menos problemas de distracción, sino que sus empleados y sus clientes también son más felices.

28

El lugar de trabajo inmune a la distracción

Si existe una tecnología que encarna las irrazonables exigencias de la cultura de la disponibilidad absoluta que inunda tantas empresas, es Slack. La aplicación de grupos de mensajería instantánea puede hacer que sus usuarios se sientan atados a sus dispositivos, a menudo a costa de dejar de hacer otras tareas más importantes.

Cada día, más de diez millones de personas se conectan a Slack.[1] Y, por supuesto, los propios empleados de Slack usan la aplicación, y la usan mucho. Y, si su tecnología causa distracción, ellos deberían sufrir sin duda las consecuencias. Sin embargo, para sorpresa de todos, y según reportajes publicados en los medios y empleados de Slack con los que he hablado, la empresa no tiene ese problema.

Si te pasearas por las oficinas centrales de Slack en San Francisco, verías un lema muy curioso en las paredes de la entrada. Escrito en letras blancas sobre un fondo rosa fucsia, se lee: «Trabaja duro y vete a casa». No es el lema que esperarías ver en una empresa de Silicon Valley que desarrolla la herramienta que, precisamente, y según muchas personas, obliga a seguir en el trabajo incluso cuando ya estás en casa.

Sin embargo, la gente de Slack sabe cuándo desconectar. Según un artículo de 2015 de la revista *Inc.*, que nombró a Slack su Empresa del Año, el lema no es mera palabrería.[2] A las 18.30, «las oficinas de Slack están prácticamente vacías». Y, según el artículo, «Así es como le gusta a Butterfield [el director ejecutivo de Slack]».

Bueno, pero seguro que los empleados de Slack vuelven a conectarse en cuanto llegan a casa, ¿no? Te equivocas. De hecho, se les pide que no usen Slack una vez que salen por la puerta. Según Amir Shevat, exdirector de relaciones con los promotores de Slack, allí la gente entiende que la norma es saber cuándo hay que desconectar. «No es educado mandar mensajes directos fuera de horas de trabajo o durante el fin de semana», añade.

La cultura corporativa de Slack es un ejemplo
de ambiente laboral que no ha sucumbido
al desesperante ciclo de disponibilidad endémico
en tantas organizaciones hoy en día.

Para facilitar la concentración, la cultura de Slack va mucho más allá de sus eslóganes. Los gerentes de Slack predican con el ejemplo para animar a sus empleados a reservar tiempo para desconectar. En una entrevista con OpenView Labs, Bill Macaitis, que fue director de ingresos y director de *marketing* de Slack, afirma: «Necesitas tiempo para trabajar de forma ininterrumpida [...] Por eso, da igual si hablamos de Slack o del correo electrónico, yo siempre reservo tiempo para entrar, revisar los mensajes y después volver a trabajar sin interrupciones».[3] El hecho de que alguien con tanta experiencia como Macaitis priorice el trabajo sin interrupciones y llegue incluso a programar un periodo en su horario para responder a correos electrónicos y mensajes de Slack lanza un mensaje muy importante que ejemplifica el principio de «reservar tiempo para la tracción» del que hemos hablado en la segunda parte.

Shevat se hace eco de las opiniones de Macaitis. En Slack, dice: «No pasa nada por no estar conectado». Su compromiso de prestar toda su atención a sus compañeros de trabajo cuando se ven en persona es religioso. «Cuando dedico mi tiempo a alguien, me centro al cien por cien, y nunca miro el teléfono durante una reunión. Eso es superimportante para mí.» Al tomar medidas para eliminar los zumbidos y timbrazos típicos de las reuniones modernas, pone en práctica la idea de «manipular a tu favor los disparadores externos», de la que hemos hablado en la tercera parte.

Shevat también reveló que los empleados de Slack utilizan un compromiso previo como los que hemos comentado en la cuarta parte, que los ayuda a no conectarse fuera del horario de oficina. Slack tiene una función No molestar integrada que sus usuarios pueden activar siempre que deseen concentrarse en lo que de verdad quieren hacer, como trabajar sin interrupciones o estar con su familia o amigos. Shevat me dijo que, si un empleado intenta enviar un mensaje cuando no debería, «la función de No molestar se interpondrá en su camino. Se activa automáticamente fuera de horas de oficina, de forma que no recibes los mensajes directos hasta que vuelves al trabajo».

Lo que es más importante, la cultura en Slack se asegura de que los empleados tengan un espacio para expresar sus preocupaciones. Como descubrió Leslie Perlow en BCG, reunirse regularmente es clave para que los empleados puedan explicar lo que les preocupa. Las empresas que dedican tiempo a hablar de sus tribulaciones son más propensas a proporcionar seguridad psicológica y enterarse de problemas que, de otro modo, los empleados no mencionarían.

Como hemos aprendido en la primera parte, lidiar con las distracciones empieza por saber qué ocurre en nuestro interior. Si hay disparadores internos que piden a gritos una solución, los empleados siempre encuentran alguna manera de abordarlos, sea saludable o no. Asegurarse de que los empleados cuentan con un foro donde expresar en voz alta los problemas a la dirección de la empresa ayuda a los miembros del equipo de Slack a liberar la presión psicológica que Stansfeld y Candy encontraron en ambientes laborales tóxicos.

Pero ¿cómo logra una empresa tan grande como Slack que todo el mundo tenga un espacio donde sentirse escuchado? Ahí es donde resulta útil la tecnología de la propia empresa. La herramienta de grupos de mensajería instantánea facilita mantener discusiones con regularidad que promueven la seguridad psicológica y alcanzan consensos rápidamente. Pero ¿cómo lo hacen? Aunque parezca inconcebible, Shevat atribuye el mérito a los emojis.

En Slack hay un canal para todo, dice: «Tenemos un canal para gente que quiere comer acompañada, uno para compartir fotos de las mascotas, tenemos hasta un canal de Star Wars». Estos canales distintos no solo evitan las conversaciones que no vienen a cuento en el resto, que atascan las bandejas de entrada y hacen insoportables las reuniones en persona, sino que también proporcionan un espacio seguro para enviar comentarios y valoraciones.

Entre los numerosos canales de Slack, los que más en serio se toman los jefes son los canales de comentarios y valoraciones. En ellos no solo se comparten opiniones sobre el último lanzamiento de un producto, sino también ideas sobre cómo mejorar como empresa. Hay un canal especial llamado #slack-culture ('cultura de Slack') y otro #exec-ama donde los ejecutivos invitan a sus empleados a preguntarles lo que ellos quieran (ama son las siglas en inglés de «ask me anything», literalmente, 'pregúntame lo que quieras'). Shevat dice: «La gente cuelga todo tipo de sugerencias, y se les anima a ello». Incluso hay un canal especial donde airear tu «cabreo» con el propio producto de la empresa, se llama #beef-tweets. «A veces, los comentarios son muy crueles», dice Shevat, pero lo importante es que se expresan y se escuchan.

Y aquí es donde los emojis acuden al rescate. «Los jefes informan de que han leído los comentarios y valoraciones poniendo un emoji de ojos. Otras veces, si se han tomado medidas o se ha arreglado algo, alguien responde con una marca de verificación», explica Shevat. Slack ha encontrado muchas formas de hacer saber a sus empleados que los escuchan y que se están tomando medidas.

Por supuesto, no todas las conversaciones en todas las empresas deberían tener lugar en grupos de mensajería instantánea. Slack también lleva a cabo reuniones tradicionales donde los empleados pueden plantear preguntas directas a sus jefes. Permitir que los empleados hagan comentarios y valoraciones, da igual en qué formato, y que sepan que alguien con poder ejecutivo está escuchando hace saber a los empleados que tienen voz. Tanto da si los comentarios de los empleados se escuchan en pequeñas reuniones de grupo, como las que facilitó Perlow en BCG, o en grupos de mensajería como los de Slack; lo importante en este caso es que exista un espacio que la gerencia considere esencial, que utilice y ante el cual responda. Es fundamental para el bienestar de la empresa y sus empleados.

Siempre corremos cierto riesgo cuando ponemos a una empresa en concreto como ejemplo. Los éxitos de ventas de Jim Collins *Good to Great: ¿Por qué algunas compañías dan el salto a la excelencia y otras no?* y *Built to Last* [Hechas para durar] incluían perfiles de algunas empresas que, al final, no duraron mucho y de otras que resultaron no ser tan excelentes.

Sin duda, trabajar en Slack y en BCG dista mucho de ser perfecto. Algunos empleados con los que hablé me contaron que habían tenido malas experiencias con gerentes de mano dura. Citando a un exempleado de Slack: «Se esforzaban por ser una empresa con un buen trato psicológico. Lo que pasa es que no todo el mundo tiene la habilidad suficiente para manejar todos los matices». Crear una empresa en la que las personas se sientan cómodas para expresar sus preocupaciones sin miedo a que los despidan exige trabajo y cuidado.

De momento, las estrategias de BCG y Slack parecen exitosas. Sus empleados y clientes las aprecian. En el portal Glassdoor, BCG ha aparecido en la lista de los diez «Mejores sitios donde trabajar» ocho veces en los últimos nueve años,[4] mientras que Slack tiene una media de 4,8 sobre 5 en las valoraciones anónimas, con un 95 por ciento de empleados que dicen que recomendarían la empresa a un amigo y un 99 por ciento de aprobación para el director ejecutivo.[5]

Cabe destacar que, independientemente de los futuros márgenes de beneficio o retorno de la inversión de los accionistas, estas empresas, en el momento en que escribo estas líneas, se preocupan por sus empleados y se comprometen con su éxito al proporcionarles la libertad de ser inmunes a la distracción.

RECUERDA

- Las empresas inmunes a la distracción, como Slack y BCG, promueven la seguridad psicológica, proporcionan un espacio para hablar abiertamente sobre las preocupaciones y, lo que es más importante, están lideradas por personas que dan ejemplo sobre la importancia de concentrarse en el trabajo.

Sexta parte

CÓMO CRIAR NIÑOS INMUNES
A LA DISTRACCIÓN
(Y POR QUÉ TODOS NECESITAMOS
NUTRIENTES PSICOLÓGICOS)

29

Evita las excusas cómodas

La preocupación social sobre el efecto de una posible fuente de distracción como los *smartphones* en nuestros hijos ha alcanzado la categoría de pánico. Artículos con titulares como «¿Han destruido los *smartphones* a toda una generación?» y «Un estudio relaciona el riesgo de depresión y suicidio entre adolescentes con el uso de *smartphones*» se hacen virales en internet (qué ironía).[1,2]

La psicóloga Jean Twenge, autora del segundo artículo, escribe: «No exagero si digo que la iGen está a punto de sufrir la peor crisis de salud mental que hemos visto en décadas. Y gran parte de su deterioro puede relacionarse directamente con sus teléfonos».[3]

Convencidos por esos terribles titulares y hartos de que sus hijos se distraigan con la tecnología, algunos padres recurren a medidas extremas. Una búsqueda en YouTube devuelve miles de vídeos de padres que asaltan las habitaciones de sus hijos, desenchufan los ordenadores o consolas y los destrozan a golpes para dar una lección a su descendencia. O, al menos, eso esperan.[4]

La verdad es que entiendo la frustración de esos padres. Una de las primeras palabras que pronunció mi hija fue: «¡iPad,

iPad!». Si no se lo dábamos enseguida, iba subiendo de volumen hasta que obedecíamos, pues nos disparaba la presión sanguínea y ponía a prueba nuestra paciencia. A medida que fueron pasando los años, la relación de mi hija con las pantallas evolucionó, y no siempre de forma positiva. Pasaba demasiado tiempo jugando con aplicaciones frívolas y viendo vídeos.

Ahora que es más mayor, han surgido nuevos problemas asociados con criar a un niño en la era digital. En más de una ocasión, hemos quedado con amigos y con sus hijos para cenar, y hemos acabado sentados a una mesa con una sensación incómoda mientras nuestros hijos se entretienen toqueteando el móvil en lugar de charlando entre ellos.

Por tentador que resulte, destrozar el dispositivo digital del niño no ayuda. Rodeados de titulares alarmantes y anécdotas negativas, resulta fácil entender por qué tantos padres creen que la tecnología es la fuente real de sus problemas con sus hijos. Pero ¿lo es? Como hemos visto en el caso de nuestro lugar de trabajo y nuestra vida, la distracción de nuestros hijos también tiene una causa origen oculta.

Mi esposa y yo teníamos que ayudar a nuestra hija a desarrollar una relación sana con la tecnología y otras posibles distracciones, pero antes debíamos averiguar qué causaba su comportamiento. Como hemos aprendido a lo largo de este libro, las respuestas sencillas a preguntas complejas suelen ser erróneas, y resulta demasiado fácil culpar a algo ajeno de los comportamientos de nuestros hijos que no nos gustan como padres.

Por ejemplo, todos los padres sabemos que los niños se ponen hiperactivos cuando comen cosas azucaradas. Todos hemos oído a algún padre o madre afirmar que si su hijo se está portando mal en esa fiesta de cumpleaños es porque va «hasta arriba de azúcar». Tengo que admitir que yo mismo he usado esa excusa más de una vez. Hasta que descubrí que lo de ir «hasta arriba de azúcar» no tiene ninguna base científica, claro. Un metaanálisis exhaustivo de dieciséis estudios «halló que el azúcar no afecta ni a la conducta ni al desempeño cognitivo de los niños».

Lo que resulta interesante es que, pese a que el conocido subidón de azúcar infantil es un mito, tiene un efecto real en los padres. Un estudio determinó que cuando se dice a las madres que sus hijos han tomado cosas azucaradas, califican el comportamiento de sus hijos como más hiperactivo, aunque se les haya dado un placebo. De hecho, las grabaciones de las interacciones de las madres con sus hijos mostraban que era mucho más probable que los controlaran y criticaran cuando creían que iban «hasta arriba» de azúcar, de nuevo, a pesar de que sus hijos no habían tomado nada azucarado.

Otra excusa clásica de los padres para eludir su responsabilidad es el hecho «por todos conocido» de que los adolescentes son rebeldes por naturaleza. Todo el mundo sabe que los adolescentes tratan fatal a sus padres porque los obligan sus hormonas desatadas y su cerebro subdesarrollado. Pues no.

Algunos estudios han descubierto que los adolescentes de muchas sociedades, en especial las preindustrializadas, no son especialmente rebeldes y, por el contrario, pasan «la mayor parte del tiempo con adultos».[5] En un artículo titulado «El mito del cerebro adolescente», Robert Epstein escribe:

«Muchos historiadores apuntan a que, a lo largo de la mayor parte de la historia humana de la que tenemos registros, la adolescencia era un periodo relativamente plácido de transición hacia la edad adulta».[6] Al parecer, a los cerebros de nuestros adolescentes no les pasa nada, son los nuestros los que están a medio cocer.

Las innovaciones y las nuevas tecnologías son otro chivo expiatorio habitual. En 1474 el monje y escriba veneciano Filippo di Strata inició una polémica contra otro dispositivo informativo que se lleva en la mano al afirmar: «la imprenta [es] una zorra». Una revista médica de 1883 atribuía el incremento en las tasas de suicidio y homicidios a la nueva «locura educativa» y proclamaba que «la locura va en aumento [...] en paralelo con la educación» y que la educación «agota el cerebro y el sistema nervioso de los niños».[7] En 1936, se decía que los niños «han desarrollado el hábito de dividir su atención entre la aburrida tarea de hacer los deberes y la fascinante emoción del altavoz [de la radio]», según *Gramophone*, la revista musical.[8]

Cuesta creer que estos benignos avances asustaran a alguien, pero los saltos tecnológicos acostumbran a ir seguidos de pánicos morales. «Cada era histórica sucesiva ha creído con entusiasmo que el comportamiento de sus jóvenes experimentaba una "crisis" sin precedentes», escribe la historiadora de Oxford Abigail Wills en un artículo para la revista de historia en línea de la BBC.[9] «No somos especiales; nuestros miedos no son muy distintos de los de quienes nos precedieron.»

Si hablamos del comportamiento indeseado de nuestros hijos hoy en día, es tan dudoso que los oportunos mitos sobre los dispositivos sean su causa como los subidones de azúcar, los cerebros aún no del todo desarrollados de los adolescentes y otras tecnologías como los libros o la radio.

Muchos expertos creen que la discusión sobre si la tecnología es perjudicial tiene más matices de los que pretenden los alarmistas.

En una refutación del artículo que afirmaba que los niños estaban a punto de sufrir la peor crisis de salud mental en décadas, Sarah Rose Cavanagh escribió en *Psychology Today* que «los datos que la autora elige presentar están muy bien seleccionados, con lo que quiero decir que solo revisa los estudios que respaldan sus ideas e ignora los que sugieren que el uso de pantallas NO se asocia con resultados como la depresión o el aislamiento».[10]

Entre los numerosos estudios que no revisó se encontraba uno de Christopher Ferguson, publicado en *Psychiatric Quarterly*, que solo halló una relación insignificante entre el uso de pantallas y la depresión. Ferguson escribió en un artículo en *Science Daily*: «Aunque el mensaje de "todo con moderación" puede ser de lo más productivo al hablar con los padres sobre el tiempo de uso de las pantallas, nuestros resultados no sustentan la idea de que centrarse mucho en eso prevenga problemas conductuales en los jóvenes».[11] Como suele pasar, la clave está en los detalles, en este caso digitales.

Una lectura atenta a los estudios que relacionan tiempo de pantalla y depresión nos indica que solo aparece correlación cuando el tiempo en línea es exagerado. Los adolescentes que pasan más de cinco horas al día en internet tienden a tener más pensamientos depresivos o, suicidas, pero es de sentido común plantearnos si los niños que tienden a pasar cantidades de tiempo excesivas en línea no tendrán también otros problemas en sus vidas. Quizá, dedicar cinco horas al día a cualquier medio de comunicación sea un síntoma de un problema mayor.

De hecho, ese mismo estudio determinó que los niños que pasan dos horas o menos en línea al día no presentaban mayores tasas de depresión y ansiedad que el grupo de control. Un estudio llevado a cabo por Andrew Przybylski, del Oxford Internet Institute, halló que el bienestar mental en realidad aumentaba con tiempos de pantalla moderados.[12] «Incluso a niveles excepcionales, hablamos de un impacto muy leve —afirmó Przybylski—. Saltarse el desayuno o no dormir ocho horas es tres veces peor.»[13]

Cuando los niños se comportan de formas que no nos gustan, los padres nos preguntamos con desesperación: «¿Por qué mi hijo hace eso?». Los chivos expiatorios nos proporcionan certezas, y solemos aferrarnos a las respuestas fáciles porque contribuyen a una historia que queremos creernos: que los niños hacen cosas raras por motivos que escapan a nuestro control, lo que significa que su conducta no es en realidad culpa suya (ni nuestra).

Por supuesto, la tecnología tiene un papel en todo esto. Las aplicaciones de los *smartphones* y los videojuegos están diseñadas para enganchar, igual que el azúcar es delicioso. Pero, como sucede con los padres que atribuyen el mal comportamiento de sus hijos al «subidón de azúcar», culpar a los dispositivos es dar una respuesta superficial a una pregunta profunda. Las respuestas fáciles nos evitan tener que ahondar en la oscura y compleja verdad que subyace al comportamiento de nuestros hijos. Pero no podemos solucionar el problema si no lo miramos de frente, y dejamos a un lado los mitos amplificados por los medios de comunicación, para entender la causa origen.

Los padres no necesitan creer que la tecnología es el diablo para ayudar a sus hijos a gestionar las distracciones.

Aprender a ser inmune a la distracción es una habilidad que servirá a nuestros hijos independientemente del camino vital que emprendan y de la forma que adquiera la distracción. Si vamos a ayudar a nuestros hijos a responsabilizarse de sus decisiones, tenemos que dejar de proporcionarles (y proporcionarnos) excusas cómodas. En esta parte, vamos a entender los motivos psicológicos más profundos que impulsan el uso excesivo de los dispositivos por parte de nuestros hijos y a aprender maneras inteligentes de ayudarlos a superar la distracción.

RECUERDA

- **Deja de desviar la culpa.** Cuando los niños no actúan como quieren los padres, es natural buscar respuestas que ayuden a los segundos a esquivar la responsabilidad.
- **Los pánicos tecnológicos no son algo nuevo.** Desde el libro, hasta la radio o los videojuegos, la historia está llena de padres que sucumben a un pánico moral porque hay algo que, supuestamente, hace que sus hijos se comporten de formas extrañas.
- **La tecnología no es maligna.** Bien utilizada y en cantidades adecuadas, su uso por parte de los niños puede resultar beneficioso, mientras que demasiado (o demasiado poco) puede tener efectos ligeramente perjudiciales.
- **Enseña a los niños a ser inmunes a la distracción.** Enseñar a los niños a gestionar la distracción les beneficiará durante toda la vida.

30

Entiende sus disparadores internos

Richard Ryan y su colega Edward Deci son dos de los investigadores más citados del ámbito de la determinación del comportamiento humano. La mayoría considera su «teoría de la autodeterminación» la base del bienestar psicológico, e innumerables investigaciones respaldan sus conclusiones desde que empezaron su investigación en la década de 1970.[1]

Del mismo modo que el cuerpo humano necesita tres macronutrientes (proteínas, carbohidratos y grasas) para funcionar adecuadamente, Ryan y Deci propusieron que la psique humana necesita tres cosas para prosperar: autonomía, competencia y sentido de pertenencia. Cuando un cuerpo necesita alimento, se disparan señales de hambre; cuando es la psique la que lo necesita, se disparan la ansiedad, la inquietud y otros síntomas de que falta alguna cosa.

Cuando los niños no obtienen los nutrientes psicológicos que necesitan, la teoría de la autodeterminación explica que pueden excederse en conductas nocivas, como pasar demasiado tiempo delante de una pantalla. Ryan cree que la causa no está tan relacionada con los dispositivos como con el motivo que hace a algunos niños susceptibles a la distracción.

Sin suficiente autonomía, competencia
y sentido de pertenencia, los niños buscan
alimento psicológico en las distracciones.

Lección número 1. Los niños necesitan autonomía: voluntad y libertad para controlar sus decisiones

Maricela Correa-Chávez y Barbara Rogoff, profesoras de la Universidad de California en Santa Cruz, llevaron a cabo un experimento en el que dos niños entraban en una sala donde un adulto enseñaba a uno de ellos a construir un juguete mientras el otro esperaba.[2] El estudio se diseñó para observar qué hacía el niño que no estaba participando, el observador, mientras esperaba. En Estados Unidos, la mayoría de los niños que observaban hicieron lo que se esperaría de ellos: se removían en la silla, miraban al suelo y, en general, mostraban signos de desinterés. Un niño impaciente llegó incluso a imaginar que un juguete era una bomba y gesticuló con las manos para simular la explosión mientras emitía ruidos que imitaban la destrucción. En cambio, las investigadoras hallaron que los niños mayas de Guatemala se concentraban en lo que estaba aprendiendo el otro niño y se quedaban sentados e inmóviles mientras el adulto enseñaba al compañero.

En conjunto, el estudio descubrió que los niños estadounidenses solo eran capaces de concentrarse la mitad del tiempo que los mayas. Aún más interesante fue el hallazgo de que los niños mayas menos expuestos a la educación formal «mostraban una atención más sostenida y un mejor aprendizaje que sus compañeros de familias mayas escolarizados en sistemas occidentales». En otras palabras: menos escolarización implicaba una mayor capacidad de concentración. ¿Cómo podía ser?

La psicóloga Suzanne Gaskins lleva décadas estudiando las aldeas mayas y explicó en la NPR que los padres mayas dan muchísima libertad a sus hijos. «En lugar de que sea la madre la que marca un objetivo, y después tenga que proporcionar incentivos y recompensas para alcanzarlo, es el niño quien lo marca. A continuación, los padres lo ayudan a alcanzarlo en la medida de sus posibilidades», cuenta Gaskins. Los padres mayas «creen firmemente que los niños son quienes mejor saben lo que quieren y que los objetivos solo se alcanzan cuando el niño así lo desea».[3]

Por otro lado, la mayor parte de la escolarización formal en Estados Unidos y en otros países industrializados similares es la antítesis de un lugar donde los niños tienen autonomía para tomar sus propias decisiones. Según Rogoff: «Podría ser que los niños cedan el control de su atención cuando esta se halla siempre gestionada por un adulto».[4] En otras palabras, es posible que los niños estén condicionados para perder el control de su atención y, en consecuencia, se vuelvan muy fáciles de distraer.

La investigación de Ryan muestra dónde perdemos exactamente la atención de los niños. «Cuando los niños acceden a secundaria, a partir de los once años, y abandonan un sistema de aula única para acceder a un sistema más regulado en los institutos, donde suenan timbres y hay castigos, aprenden que ese entorno no es intrínsecamente motivador», asegura.[5] Robert Epstein, el investigador que escribió «The Myth of the Teen Brain» [El mito del cerebro adolescente] en *Scientific American*, llega a una conclusión similar: «Las encuestas que he llevado a cabo muestran que los adolescentes en Estados Unidos están sujetos a diez veces más restricciones que la mayoría de los adultos, al doble que un marine de Estados Unidos en activo e incluso al doble de restricciones que los condenados que cumplen penas de prisión».[6]

Aunque no todos los estudiantes estadounidenses viven en entornos tan restrictivos, está claro por qué hay tantos que tienen problemas para mostrar motivación en clase: su necesidad de autonomía para explorar sus intereses no se ve cubierta. «Los controlamos mucho en el entorno escolar y no es de extrañar que entonces quieran acceder a otro donde sientan que tienen mucha autoridad y autonomía en lo que hacen —afirma Ryan—. Consideramos [el uso de tecnología] una forma de maldad en el mundo, pero es una maldad que atrae a la gente por las alternativas que les planteamos.» [7]

A diferencia de lo que sucede en su vida fuera de internet, los niños tienen muchísima libertad en línea, cuentan con autonomía para arriesgarse y experimentar con estrategias creativas para resolver problemas. «En los espacios de internet, tiende a haber multitud de opciones y oportunidades, mucho menos control y supervisión adulta —dice Ryan—. En internet pueden sentirse libres, competentes y conectados, sobre todo cuando los demás entornos de los adolescentes están demasiado controlados y son muy restrictivos o poco estimulantes.»

ENTIENDE SUS DISPARADORES INTERNOS

Lo irónico es que, cuando los padres empiezan a preo-
cuparse porque sus hijos pasan mucho tiempo en línea, a
menudo imponen aún más normas, una táctica que tiende
a volverse en su contra. En lugar de limitar todavía más la
autonomía de tus hijos, Ryan recomienda intentar entender
las necesidades subyacentes y asociadas con los disparadores internos que los empujan a las distracciones digitales.
«Lo que hemos descubierto es que los padres que abordan
el uso de internet o el tiempo con pantallas de sus hijos de
formas que apoyan su autonomía tienen niños que se auto-
rregulan mejor en ese frente y que es menos probable que
pasen demasiadas horas delante de la pantalla», afirma.

Lección número 2. Los niños desean sentirse competentes: aprender, progresar, obtener logros y crecer

Piensa en algo que se te dé bien: tu capacidad para hacer
presentaciones sobre un escenario, cocinar platos delicio-
sos o aparcar en paralelo en espacios diminutos. Ser competente en algo resulta muy agradable y la sensación aumenta a medida que lo hace tu habilidad.

Por desgracia, la alegría de progresar en clase es una
sensación en declive entre los niños de hoy en día. Ryan
advierte: «Lanzamos mensajes de "no eres competente en
el colegio" a demasiados niños». Apunta a la proliferación
de exámenes de nivel estandarizados como uno de los problemas. «Está destruyendo las prácticas de enseñanza en
clase y la autoestima de muchos niños, al tiempo que ani-
quila su aprendizaje y motivación.»

«Cada niño es distinto, y su ritmo de desarrollo es muy variable», dice Ryan. Sin embargo, los exámenes estandarizados están diseñados para no tener en cuenta esas diferencias. Si un niño no va bien en el colegio y no recibe el apoyo individual necesario, empieza a creer que es imposible que alcance el nivel de competencia que se le exige, así que deja de intentarlo. Cuando no son competentes en clase, los niños buscan en otros lugares esa experiencia de crecimiento y desarrollo. Las empresas que crean juegos, aplicaciones y otras posibles distracciones están encantadas de llenar el vacío vendiendo soluciones prefabricadas para esa falta de «nutrientes psicológicos» de los niños.

Los fabricantes de tecnología saben lo mucho que les gusta a los consumidores subir de nivel, ganar seguidores u obtener más «me gusta»: esos logros proporcionan una sensación rápida y muy agradable de haber alcanzado un logro. Según Ryan, cuando los niños pasan el tiempo en el colegio haciendo algo que no disfrutan, no valoran y en lo que no creen que puedan mejorar, «no debería sorprendernos que por las noches recurran a algo en lo que se sienten supercompetentes».

Lección número 3. Buscan una sensación de pertenencia: sentirse importantes para los demás y que los demás sean importantes para ellos

Pasar tiempo con pares siempre ha formado parte de la infancia y la adolescencia. Para los niños, la mayoría de las oportunidades de desarrollar sus habilidades sociales pasan por jugar con otros niños. Sin embargo, en el mundo de hoy en día, las interacciones sociales de los adolescentes se producen cada vez más en entornos virtuales, porque en el mundo real resultan incómodas o imposibles.

La naturaleza misma del juego está cambiando a marchas forzadas. ¿Recuerdas jugar en canchas de baloncesto, pasar el rato en el centro comercial los fines de semana o, simplemente, salir a dar una vuelta por el barrio hasta que te encontrabas con algún amigo? Por desgracia, la socialización espontánea ya no sucede tanto como antes.

Como escribió Peter Gray, que ha estudiado el declive del juego en Estados Unidos, en *American Journal of Play*: «Cuesta mucho ver grupos de niños al aire libre y, cuando los hay, van todos vestidos de uniforme y siguen las indicaciones de un entrenador».[8]

Mientras que las generaciones anteriores podían salir a jugar después del colegio y creaban lazos sociales sólidos, muchos niños hoy en día se crían con padres que limitan el juego al aire libre por temor a los «abusadores infantiles, el tráfico y los matones», según una encuesta a padres de un artículo publicado en *The Atlantic*.[9] Estas preocupaciones se mencionan a pesar de que, estadísticamente, los niños de hoy en día son la generación más segura de la historia de Estados Unidos.[10] Por desgracia, se trata de una espiral descendente que deja a muchos niños con la única opción de quedarse en casa, asistir a programas de actividades estructuradas o confiar en la tecnología para buscar a otros niños y conectar con ellos.

La conexión en entornos digitales puede ser muy positiva. Un niño que sufre acoso en el colegio puede pedir ayuda a sus amigos de internet; un adolescente que tiene dudas sobre su orientación sexual puede encontrar el apoyo de alguien que vive en la otra punta del país, y una niña que se muestre tímida en el colegio puede ser la líder del grupo de amigos de todo el mundo con quienes juega a los videojuegos por internet. «Lo que muestran los datos —dice Ryan— es que a los niños que no se relacionan bien, que se sienten aislados o excluidos en el colegio, les atraen más las redes, donde pueden conectar con otras personas y encontrar subgrupos con los que identificarse. Así que es una ventaja y un inconveniente a un tiempo.»[11]

La pérdida del juego en persona tiene un coste real, según Gray, porque «aprender a llevarse bien y cooperar con los demás como iguales es posiblemente la función evolutiva más importante del juego social humano». Lo considera «tanto una consecuencia como una causa del incremento del aislamiento social y la soledad en la cultura». Mucho antes de los estudios que correlacionaban el tiempo de pantalla y el incremento de las tasas de depresión, Gray identificó una tendencia mucho más amplia que se remonta más de sesenta años:

> Desde alrededor de 1955 [...] el juego libre de los niños ha ido en descenso, en parte, al menos, porque los adultos han empezado a ejercer un control creciente de las actividades infantiles [...]
>
> De algún modo, como sociedad, hemos llegado a la conclusión de que, para proteger a los niños del peligro y educarlos, tenemos que negarles la actividad que los hace más felices y meterlos aún más horas en sitios donde están más o menos dirigidos y evaluados por adultos constantemente, sitios casi diseñados para generar ansiedad y depresión.[12]

Al valorar el estado de la infancia actual, Ryan cree que muchos niños tienen carencias de los tres nutrientes psicológicos esenciales: autonomía, competencia y sentido de pertenencia, en sus vidas fuera de internet. No es de extrañar que busquen sustitutos en línea. «Llamamos a esto "hipótesis de la densidad de la necesidad"», dice Ryan.[13] «Cuanto menos se satisfagan tus necesidades en la vida, más vas a intentar satisfacerlas en realidades virtuales.»[14]

La investigación de Ryan le lleva a pensar que el «uso excesivo [de tecnología] es señal de algún tipo de vacío en otras áreas vitales, como el colegio o el hogar». Cuando se cubren las tres necesidades, las personas están más motivadas, su desempeño es mejor, son más persistentes y muestran una mayor creatividad.

Ryan no se opone a limitar el uso de la tecnología, pero opina que esa limitación debería pactarse con el niño y no imponerse de forma arbitraria, con la creencia de que el adulto es más listo. «En parte, lo que quieres conseguir no es tanto que tu niño pase menos tiempo delante de la pantalla, sino entender por qué lo hace», dice. Cuanto más hables con tus hijos sobre el coste de usar demasiado la tecnología y cuantas más decisiones tomes con ellos, en lugar de por ellos, más dispuestos estarán a escuchar tus consejos.

Podemos empezar explicándoles algunas de las técnicas de manejo y reimaginación que hemos aprendido en la primera parte. Explica a tus hijos qué cosas has cambiado en tu vida para gestionar la distracción: mostrarte vulnerable y dejar que tus hijos vean que entiendes sus problemas y que te enfrentas a cosas similares contribuye a establecer confianza. Igual que hemos visto en la sección anterior que los buenos jefes son ejemplo de desconexión de las distracciones, los padres también deberían ser modelos inmunes a la distracción.

También podemos plantearnos proporcionar a nuestros hijos oportunidades en el mundo real de obtener la autonomía, la competencia y la sensación de pertenencia que necesitan. Aligerar las actividades educativas o deportivas estructuradas y darles más tiempo para practicar el juego libre puede ayudarles a encontrar las conexiones que, si no, buscarán en línea.

No podemos solucionar todos los problemas de nuestros hijos, ni deberíamos intentarlo, pero sí podemos procurar entender mejor a qué se enfrentan, observar lo que les pasa a través de la lente de las necesidades psicológicas. Saber qué es lo que los está empujando realmente a un uso excesivo de la tecnología es el primer paso para ayudar a nuestros hijos a ser resilientes en lugar de huir de la incomodidad mediante la distracción. Cuando nuestros hijos se sientan comprendidos, podrán empezar a planear cómo invertir mejor su tiempo.

RECUERDA

- **Los disparadores internos determinan la conducta.** Para entender cómo podemos ayudar a nuestros hijos a gestionar la distracción, tenemos que empezar por entender la fuente del problema.
- **Nuestros hijos necesitan nutrientes psicológicos.** Según una teoría ampliamente aceptada sobre la motivación humana, todas las personas necesitan tres cosas para prosperar: autonomía, competencia y sentido de pertenencia.
- **Las distracciones cubren déficits.** Cuando las necesidades psicológicas de nuestros hijos no se cubren en el mundo real, buscan otras formas de satisfacerlas, a menudo en entornos virtuales.
- **Los niños necesitan alternativas.** Los padres y los tutores pueden dar pasos para ayudar a los niños a encontrar el equilibrio entre sus mundos en línea y fuera proporcionándoles más oportunidades de experimentar autonomía, competencia y sentido de pertenencia.
- **El modelo inmune a la distracción, que consta de cuatro partes, también sirve para los niños.** Enséñales métodos para gestionar la distracción y, lo que es más importante, sé un ejemplo de persona inmune a la distracción.

31

Reserva tiempo
para la tracción juntos

Cuando se trata de ayudar a nuestros hijos a gestionar la distracción, es importante centrar la conversación en las personas y no en la tecnología. Esto lo dice Lori Getz, fundadora de Cyber Education Consultants, que organiza talleres de seguridad en internet para escuelas, y es una lección que ella aprendió de pequeña.

Getz tuvo su primer teléfono (fijo, en su habitación) cuando era adolescente. En cuanto se lo instalaron, cerró la puerta y se pasó el fin de semana entero en la habitación, hablando con sus amigas en lugar de pasando tiempo con su familia. Cuando volvió a casa del colegio el lunes siguiente, se encontró con que ya no tenía puerta. «No es culpa del teléfono que te estés comportando como una imbécil —le reprendió su padre—. Cerraste la puerta y nos dejaste a todos fuera.»

Aunque Getz no recomienda ni el tono ni las tácticas agresivas de su padre, el hecho de que se centrara en los efectos que tenía su conducta y no en el teléfono en sí resultó muy instructivo. «Hay que centrarse [durante la conversación] en cómo estás tratando e interactuando con quienes te rodean», recomienda, en lugar de culpar a la herramienta.[1]

En lo que respecta a qué dedicamos el tiempo que pasamos juntos en familia, lo importante es definir qué se considera tracción y qué distracción. Unas recientes vacaciones familiares de Getz pusieron a prueba su teoría. Sus hijas, de seis y once años, le preguntaron si podrían usar el móvil durante el viaje en coche de dos horas de Sacramento a Truckee. Motivada por el deseo de aligerar la monotonía del viaje, así como de aprovechar la oportunidad de mantener una conversación tranquila con su marido, Getz accedió. El tiempo con los dispositivos facilitó el largo viaje en coche, pero más tarde, durante esas mismas vacaciones, Getz se fijó en que sus hijas empezaban a recurrir a sus dispositivos un poco demasiado.

El exceso de uso de la tecnología por parte de sus hijas alcanzó su punto más alto cuando Getz salió a correr y, al regresar, se encontró con sus hijas pegadas a la pantalla. Ninguna de las dos estaba preparada para la salida en familia que habían acordado. En lugar de enfadarse y anunciar medidas estrictas y punitivas al respecto del uso de dispositivos en casa por parte de sus hijas, Getz decidió que había llegado el momento de tener una charla en familia.

En ella, todos confirmaron que tenían ganas de pasar tiempo de calidad juntos (es decir, tracción). Al ponerse de acuerdo sobre a qué querían dedicar el tiempo y qué tenían que hacer, quedó claro que dedicarse a cualquier otra cosa sería una distracción que interferiría con sus planes. Decidieron, como familia, que podían usar sus dispositivos solo cuando estuvieran listos del todo para salir de casa.

Getz reconoce que admitir que no lo sabes todo es una forma maravillosa de implicar a los niños en la búsqueda de nuevas soluciones. «Todos vamos improvisando a medida que avanzamos», dice. Getz quiere que sus hijas sigan planteándose preguntas para controlarse a sí mismas y regular su propio comportamiento: «¿Me funciona esta conducta? ¿Mi comportamiento me enorgullece?», les pide que se pregunten. «Trabajo con muchos adolescentes que a menudo me dicen que no quieren distraerse, que no quieren que todo esto los absorba, pero que no saben cómo evitarlo.»

Para ayudar a los niños a aprender a autorregularse, debemos enseñarles a dedicar tiempo a la tracción. Podemos promover conversaciones regulares sobre nuestros valores y los suyos, y enseñarles a reservar tiempo para ser las personas que quieren ser. No olvides que, aunque a nosotros nos resulta fácil pensar: «Los niños tienen todo el tiempo del mundo», es importante recordar que tienen sus propias prioridades en cada una de las esferas vitales.

Trabajar con nuestros hijos para crear un horario basado en sus valores puede ayudarlos a encontrar tiempo para su salud personal y su bienestar, asegurándose de reservar mucho espacio para el descanso, la higiene, el ejercicio y una nutrición adecuada. Por ejemplo, aunque mi esposa y yo no obligamos a nuestra hija a acostarse a una hora determinada, sí que nos hemos preocupado de enseñarle resultados científicos que demuestran la importancia de dormir mucho durante los años de adolescencia. Cuando comprendió la importancia del sueño para su bienestar, no le costó llegar a la conclusión de que estar mirando una pantalla más tarde de las nueve de la noche entre semana no era una buena idea, suponía una distracción de su valor de mantenerse sana. Como habrás adivinado, reservó cajas de tiempo para descansar a lo largo del día. Y aunque, de vez en cuando, se desvía de su cita nocturna con la almohada, tenerla en su horario le proporciona una guía autoimpuesta que le permite monitorizarse, autorregularse y, en última instancia, vivir según sus valores.

Cuando hablamos de la esfera del «trabajo» en la vida de los niños, suele ser sinónimo de responsabilidades relacionadas con el colegio y las tareas del hogar, al menos si hablamos del típico niño estadounidense o europeo. Aunque los horarios escolares proporcionan una base para el tiempo que pasan despiertos los niños, a qué dedican las horas después de clase puede ser una fuente de desacuerdos y frustración.

Sin un plan claro, muchos niños solo
pueden tomar decisiones impulsivas que,
a menudo, implican distracciones digitales.

Hace poco me tomé un café con una amiga que tiene dos niños gemelos adolescentes. Ella se lamentaba de cómo afectaba a sus hijos la obsesión con el último tecnovillano: el juego en línea *Fortnite*. «¡Es que no paran!», me dijo. Estaba convencida de que el juego era adictivo, y sus hijos, unos yonquis. Todas las noches tenía que pelearse con ellos para que dejaran de jugar y acabaran los deberes. Exasperada, me preguntó qué creía yo que debía hacer.

Mi consejo incluía dos ideas poco ortodoxas. En primer lugar, le recomendé que hablara con sus hijos y los escuchara sin juzgarlos. Algunas preguntas que podía hacerles eran: ¿hacer los deberes estaba en línea con sus valores?, ¿sabían por qué les ponían deberes en el colegio?, ¿qué consecuencias tenía no entregar las tareas?, ¿les parecían bien esas consecuencias tanto a corto plazo (sacar una mala nota) como a largo plazo (acabar teniendo un empleo no cualificado)?

Si no reconocían la importancia de los deberes, obligarlos a hacer algo que no querían acababa convirtiéndose en una coacción que no causaría más que resentimiento.

—Pero es que, si no estoy encima de ellos, van a suspender —me replicó.

—¿Y? —le pregunté—. Si su único motivo para estudiar es que los dejes en paz, ¿qué crees que harán cuando se vayan a la universidad o se pongan a trabajar y tú no estés ahí? Quizá lo que necesitan es conocer el fracaso, y cuanto antes, mejor.

Le dije que los adolescentes por lo general tienen edad suficiente para decidir a qué dedican su tiempo. Y si eso implica suspender un examen, pues que así sea. La coacción puede ser como poner una tirita, pero desde luego no es una cura definitiva.

Lo siguiente que le propuse es que les preguntara cuánto tiempo les gustaría dedicar a distintas actividades como estudiar, estar con la familia o los amigos o jugar al *Fortnite*. Le advertí que, aunque quizá no le gustasen sus respuestas, era importante hacer caso a sus sugerencias. El objetivo en este caso era enseñarles a planear a qué iban a dedicar su tiempo, reservando espacio para las actividades importantes en sus horarios semanales. Recuerda, sus horarios (como los nuestros) deberían evaluarse y ajustarse semanalmente para asegurarse de que dedican su tiempo a vivir según sus valores.

Jugar al *Fortnite*, por ejemplo, está bien si se ha reservado ese tiempo con antelación. Con un horario estructurado en cajas de tiempo que incluye unas horas para el uso de dispositivos digitales, los niños saben que tendrán tiempo para hacer lo que les gusta. Le recomendé que cambiara el contexto de las conversaciones familiares sobre la tecnología. Pasar de gritar ella «¡No!» a enseñar a sus hijos a decirse a sí mismos: «Aún no».

Empoderar a los niños con la autonomía
para controlar su propio tiempo es un regalo
increíble. Incluso si fracasan de vez en cuando,
el fracaso forma parte del proceso
de aprendizaje.

Por último, le recomendé que se asegurara de que los días de sus hijos incluían tiempo de sobra para jugar, tanto con sus amigos como con sus padres. Los chicos estaban usando *Fortnite* para divertirse con sus compañeros y seguirían jugando por internet si no tenían una alternativa fuera de la red. Si queremos que nuestros hijos cubran su necesidad de pertenencia al margen de internet, necesitan tiempo para construir amistades cara a cara fuera del colegio. Estas relaciones no deberían verse sometidas a la presión de entrenadores, maestros y padres dictándoles qué hacer. Por desgracia, los niños de hoy en día no tienen tiempo para jugar a menos que esté programado.

Los padres conscientes de esto pueden recuperar el tiempo de juego de sus hijos, tengan la edad que tengan, reservándolo en sus horarios semanales y buscando a otros padres que entiendan la importancia del juego no estructurado, y organizando quedadas regulares para que sus hijos pasen juntos el rato, del mismo modo que ellos pueden aprovechar para ir a correr por el parque o celebrar una *jam session* en el garaje. Las investigaciones respaldan mayoritariamente la importancia del juego no estructurado para la capacidad de concentración y el desarrollo de habilidades para la interacción social de los niños. Teniendo esto en cuenta, podría decirse que el juego no estructurado es la actividad extraescolar más importante.

Además de ayudar a los niños a dedicar tiempo al juego no estructurado, debemos sacar tiempo para que lo pasen con nosotros, sus padres. Por ejemplo, reservar tiempo en el horario para las comidas familiares es quizá lo más importante que padres e hijos pueden hacer juntos. Algunos estudios demuestran que los niños que comen a menudo con sus familias muestran menores tasas de consumo de drogas, depresión, problemas escolares y trastornos de la conducta alimentaria.[2] Por desgracia, muchas familias no comen juntas porque no lo planifican, una estrategia que con frecuencia acaba con cada cual comiendo por su cuenta según su propio horario. Por eso, es mejor reservar una noche, aunque solo sea una por semana, para una cena en familia sin dispositivos. A medida que nuestros hijos crezcan, podemos invitarlos a diseñar esas experiencias de comida familiar proponiendo menús temáticos como los «Viernes de comer con las manos», cocinando juntos o contribuyendo a los temas de conversación.

Como familia, el juego puede y debe ampliarse más allá de las comidas. En mi casa, hemos establecido un «Domingo de diversión» semanal, donde rotamos la responsabilidad de planificar una actividad de tres horas. Cuando me toca a mí, a veces llevo a la familia al parque para mantener una larga conversación mientras paseamos. Mi hija suele pedir jugar a un juego de mesa, cuando le toca elegir a ella. Mi esposa a menudo propone que vayamos a algún mercado local para descubrir y probar alimentos nuevos. Elijamos lo que elijamos, la idea es reservar tiempo regularmente para pasarlo juntos y nutrir nuestra necesidad de pertenencia.

Aunque debemos estar dispuestos a hacer ajustes en el horario familiar, tenemos que involucrar a nuestros hijos al fijar las rutinas y respetar los compromisos entre nosotros. Enseñarles a elaborar su propio horario y ser inmunes a la distracción juntos nos ayuda a transmitir nuestros valores.

RECUERDA

- **Enséñales qué es la tracción.** Con tantas distracciones posibles en la vida de nuestros hijos, es fundamental enseñarles a reservar tiempo para la tracción.
- **Como sucede con nuestros horarios estructurados en bloques de tiempo, los niños pueden aprender a reservar tiempo para las cosas que son importantes para ellos.** Si no aprenden a planificar con antelación, los niños acabarán distrayéndose.
- **No pasa nada por dejar que tus hijos fracasen.** Aprendemos de los fracasos. Enseña a tus hijos a ajustar sus horarios para que tengan tiempo de vivir según sus valores.

32

Ayúdalos con los disparadores externos

Después de entender los disparadores internos que conducen a los niños a la distracción y ayudarlos a crear un horario utilizando la técnica de las cajas de tiempo, el siguiente paso es examinar los disparadores externos de sus vidas.

En muchos sentidos, resulta fácil culpar a la explosión de señales no deseadas que amenazan su atención. Con sus móviles vibrando, la televisión encendida y la música a todo trapo en sus auriculares, cuesta entender cómo son siquiera capaces de hacer algo. Muchos niños (y adultos) se pasan el día saltando de una cosa a otra. Al estar reaccionando constantemente a disparadores externos, los niños tienen pocas oportunidades de pensar en profundidad y concentrarse en algo durante mucho tiempo.

Según un estudio del Pew Research Center de 2015 dedicado a la juventud y la tecnología en Estados Unidos: «En la actualidad, el 95 por ciento de los adolescentes manifiestan tener un *smartphone* o poder acceder a uno».[1] Para sorpresa de nadie, al 72 por ciento de los padres cuyos hijos tienen un *smartphone* les preocupa que este suponga «una distracción excesiva».[2]

En muchos sentidos, han sido sus padres y sus tutores quienes han permitido que esto suceda. Al fin y al cabo, somos nosotros quienes damos permiso y, a menudo, proporcionamos el dinero para comprar los dispositivos que los distraen y que acabamos detestando. Nos plegamos a las demandas de nuestros hijos, y es posible que esto no los beneficie ni a ellos ni a nuestros hogares.

Muchos padres no se paran a pensar en si sus hijos están preparados para tener un dispositivo que puede tener consecuencias perjudiciales y ceden a la protesta de que «todos los de mi clase tienen *smartphone* y cuenta en Instagram».

Como padres, a menudo olvidamos
que el hecho de que un niño quiera
una cosa «mucho mucho» no basta.

Imagina que un niño pequeño está al borde de una piscina donde sus amigos juegan y se lo pasan genial en el agua. El niño está loco por meterse, pero tú no tienes claro si sabe nadar. ¿Qué harías?

Sabemos que las piscinas pueden ser muy peligrosas, pero, a pesar de los riesgos, no prohibimos permanentemente a los niños que disfruten del agua. Lo que hacemos, cuando tienen la edad adecuada, es asegurarnos de que aprendan a nadar. E incluso después de que aprendan lo básico, los vigilamos hasta que tenemos la seguridad de que pueden disfrutar de forma segura en la piscina.

De hecho, se me ocurre fácilmente una larga lista de actividades que no dejamos hacer a los niños hasta que están listos para ello: leer determinados libros, ver películas violentas, conducir, beber alcohol y, claro, usar dispositivos digitales. Cada cosa a su debido tiempo, que no es cuando lo pide el niño. Explorar el mundo y convivir con sus riesgos es importante a medida que crecemos, pero dar a un niño un *smartphone* o cualquier otro dispositivo antes de que tenga las facultades para usarlo de manera adecuada es tan irresponsable como dejar que se tire de cabeza en una piscina si no sabe nadar.

Muchos padres justifican regalar *smartphones* a cambio de disfrutar de la paz mental de saber que pueden ponerse en contacto con sus hijos en cualquier momento, pero, por desgracia, a menudo descubren que lo han hecho demasiado pronto. Aquí vuelve a resultar útil la analogía con la piscina. Cuando los niños aprenden a disfrutar en el agua, empiezan en la zona en la que hacen pie. Quizá llevan flotador o usan una tabla que los ayuda a sentirse cómodos en el agua. Solo después, cuando han demostrado que son competentes, son libres de nadar por su cuenta.

En lugar de dar a nuestros hijos teléfonos con todas las funcionalidades, timbres y pitidos de los *smartphones*, es mejor empezar con un teléfono adaptado que solo sirva para llamar y enviar mensajes de texto. Un teléfono así puede comprarse por menos de veinticinco dólares y no lleva las aplicaciones que pueden distraer al niño con disparadores externos.[3] Si vigilar su ubicación es una prioridad, un reloj de pulsera con GPS como GizmoWatch controla la posición del niño mediante una aplicación en el teléfono de los padres, pero solo permite llamadas entrantes y salientes de y a números seleccionados.[4]

A medida que los niños se hacen mayores,
una buena prueba para saber si están listos
para tener un dispositivo determinado
es comprobar su capacidad para entender
y utilizar la configuración integrada para apagar
los disparadores externos.

¿Saben usar el modo No molestar? ¿Saben configurar el teléfono para desactivar automáticamente las notificaciones cuando su horario requiere que estén concentrados? ¿Son capaces de dejar el teléfono fuera de la vista y de no pensar en él cuando pasan tiempo en familia o vienen amigos a casa? Si no, es que no están listos y necesitan unas cuantas «clases de natación» más, por así decirlo.

Aunque los padres tienden a centrarse en el ruido en torno a las últimas tecnologías, a menudo olvidamos las más antiguas, que también pueden ser un problema. Está muy poco justificado dejar que los niños tengan televisor, portátil o cualquier otro disparador externo que pueda distraerlos en sus habitaciones; estas pantallas deberían estar siempre en las zonas comunes. La tentación de excederse en el uso de estos dispositivos es demasiado grande para esperar que los niños la gestionen por su cuenta, sobre todo en ausencia de supervisión de sus padres.

Los niños también necesitan dormir mucho, y cualquier cosa que parpadee, pite o vibre durante la noche es una distracción. Anya Kamenetz, autora de *The Art of Screen Time* [El arte del tiempo de pantalla], escribe que asegurarse de que los niños duermen lo suficiente es «la cuestión cuya evidencia resulta más indiscutible».[5] Kamenetz advierte de que «pantallas y sueño no combinan bien» y suplica a los padres que saquen todos los dispositivos digitales de las habitaciones de sus hijos por la noche y que apaguen todas las pantallas al menos una hora antes de que se acuesten.

Es igual de importante que ayudes a tus hijos a eliminar disparadores externos no deseados durante actividades como los deberes, las tareas domésticas, las comidas, el juego y aficiones que requieran concentración. Del mismo modo que puedes pedir a tu jefe tiempo para concentrarte en el trabajo, los padres tienen que respetar los horarios de sus hijos. Si están haciendo los deberes según su horario estructurado en cajas de tiempo, debemos, por supuesto, minimizar las distracciones. Pero la misma regla es aplicable al tiempo que han reservado para estar con sus amigos o jugar a videojuegos. Si han planificado con antelación e intención, tu trabajo es respetar esos planes y dejarlos en paz.

Recuerda la pregunta decisiva: «¿Este disparador está a mi servicio o yo estoy al suyo?». A veces, como padres, podemos ser fuente de distracción. El perro que ladra, el timbre de la puerta que suena, papá que dice que alguien vaya a abrir, mamá que pregunta a qué hora es el partido del sábado o una invitación de un hermano para jugar pueden interferir con el tiempo reservado para hacer cualquier otra cosa. Aunque estas interrupciones parecen triviales, cualquier molestia cuando no toca es una distracción y debemos poner de nuestra parte para que nuestros hijos dediquen su tiempo a lo que habían planeado, eliminando disparadores externos no deseados.

RECUERDA

- **Enseña a tus hijos a nadar antes de que se metan en el agua.** Como sucedería en una piscina, los niños no deberían poder participar en determinados comportamientos de riesgo antes de estar preparados para ello.
- **Prueba si están listos para la tecnología.** Una buena forma de saber si los niños están listos es su capacidad para gestionar distracciones usando la configuración de sus dispositivos para desactivar disparadores externos.
- **Los niños necesitan dormir.** No se puede justificar que los niños tengan televisores u otras posibles distracciones en sus habitaciones por la noche. Asegúrate de que nada se interpone en su descanso.
- **No seas el disparador externo no deseado.** Respeta su tiempo y no los interrumpas si han reservado tiempo para centrarse en algo, ya sea trabajo o juego.

33

Enséñales a establecer sus propios compromisos

Cuando mi hija tenía cinco años y ya protestaba y nos insistía en que quería el iPad, mi esposa y yo supimos que debíamos hacer algo. Después de tranquilizarnos, hicimos todo lo posible por respetar sus necesidades siguiendo las recomendaciones de Richard Ryan: le explicamos, de la forma más sencilla que pudimos, que pasar demasiado tiempo con la pantalla siempre es a costa de otra cosa.

Como alumna de preescolar, estaba aprendiendo las horas, así que le explicamos que la cantidad de tiempo para hacer todas las cosas que le gustaban era limitada. Si pasaba mucho con las aplicaciones y los vídeos, tendría menos para jugar con sus amigos en el parque, para nadar en la piscina comunitaria o para estar con mamá y papá.

También le explicamos que las aplicaciones y vídeos del iPad los hacían personas muy inteligentes y que estaban diseñados a propósito para que la gente se enganchara y pasara mucho tiempo mirando la pantalla. Es importante que nuestros hijos entiendan las motivaciones de los creadores de videojuegos y redes sociales: aunque esos productos nos venden diversión y conexión, también se benefician de nuestro tiempo y nuestra atención. Puede parecer demasiado para una niña de cinco años, pero sentíamos una gran necesidad de proporcionarle la capacidad de tomar decisiones sobre su uso de las pantallas y que fuera ella quien pusiera sus propias reglas.

Era cosa suya saber cuándo parar, porque no podía confiar en que fueran los creadores de la aplicación o sus padres quienes le dijeran cuándo debía hacerlo.

Después le preguntamos cuánto tiempo consideraba ella que era bueno pasarse delante de la pantalla cada día. Nos arriesgamos a darle la autonomía para tomar la decisión, pero mereció la pena.

Sinceramente, yo pensaba que respondería «¡Todo el día!», pero no. En lugar de eso, armada con la lógica sobre por qué era importante limitar el tiempo de pantalla y con la libertad de decidir por sí misma, nos pidió avergonzada ver «dos programas». Dos episodios de un programa para niños de Netflix son unos cuarenta y cinco minutos, le expliqué. «¿Te parece que cuarenta y cinco minutos es un tiempo de pantalla adecuado para ti?» La pregunta era sincera. Ella asintió y, por la sonrisilla que se le escapó, supe que estaba convencida de que había salido ganando en la negociación.

A mí, cuarenta y cinco minutos me pareció bien, porque dejaba mucho tiempo para otras actividades. «¿Cómo vas a asegurarte de que no ves más de cuarenta y cinco minutos al día?», le pregunté. Sin ninguna intención de perder una negociación que ella sentía que estaba ganando, propuso usar un temporizador de cocina que podía manejar sola. «Me parece bien —le dije—. Pero si mamá o papá ven que no eres capaz de cumplir la promesa que te has hecho a ti misma y a nosotros, tendremos que volver a hablar de esto.» Y ella estuvo de acuerdo.

Este es un ejemplo de cómo incluso los niños pequeños pueden aprender a usar compromisos previos. Hoy en día, a sus alegres diez años, mi hija sigue siendo la responsable de su tiempo de pantalla. Ha hecho algunos ajustes a sus normas autoimpuestas a medida que crecía, por ejemplo, cambiar episodios durante la semana por ver una película el fin de semana. También ha sustituido el temporizador de cocina por otras herramientas; ahora le pide a Alexa que ponga un temporizador para que la avise cuando se le acaba el tiempo. Lo importante es que las normas las pone ella, no nosotros, y que ella misma se encarga de cumplirlas. Lo mejor de todo es que, cuando se acaba el tiempo, su padre no tiene que hacer de poli malo; es su dispositivo quien la informa de que ya está. Sin ser consciente de ello, ha establecido un compromiso de esfuerzo, como los descritos en la cuarta parte.

Muchos padres quieren saber si hay una cantidad correcta de tiempo que deberíamos permitir pasar a los niños delante de sus pantallas, pero no existe tal cosa. Intervienen demasiados factores, incluidas las necesidades concretas del niño, lo que hace en línea y las actividades a las que sustituye el tiempo de pantalla. Lo más importante es involucrar al niño en la conversación y ayudarlo a establecer sus propias reglas. Cuando los padres imponen límites sin preguntar a sus hijos, deben prepararse para que estos se molesten y busquen formas de hacer trampas.

Los niños solo aprenden las habilidades para ser inmunes a la distracción cuando pueden controlar su propio comportamiento, incluso cuando sus padres no están presentes.

Estas estrategias no garantizan la armonía entre padres e hijos en el hogar. De hecho, que no te extrañe tener acaloradas discusiones sobre qué papel tiene la tecnología en nuestros hogares y en la vida de los niños, igual que muchas familias tienen debates feroces sobre si deberían prestar las llaves del coche a sus hijos el sábado por la noche. Tener discusiones y, a veces, desacuerdos respetuosos es señal de una relación familiar sana.

Si hay una lección que podemos sacar de este capítulo, y quizá de todo el libro, es que la distracción es un problema como cualquier otro. Ya sea en una gran empresa o en una familia pequeña, cuando hablamos de forma abierta de nuestros problemas en un entorno donde nos sentimos a salvo y apoyados, podemos resolver las cosas juntos.

Una cosa está clara: la tecnología es cada vez más ubicua y persuasiva. Aunque es importante que nuestros hijos sean conscientes de que los productos están diseñados para que nos quedemos enganchados a ellos, también debemos reforzar su fe en su propia capacidad para superar la distracción. Tienen la responsabilidad, y el derecho, de usar su tiempo sabiamente.

RECUERDA

- **No subestimes la capacidad de tus hijos para establecer compromisos previos y cumplirlos.** Incluso los niños pequeños pueden aprender a usar los compromisos previos siempre que sean ellos quienes pongan las normas y sepan usar un temporizador u otro sistema de monitorización.
- **Ser consumidores escépticos es sano.** Entender que la motivación de las empresas es que los niños dediquen su tiempo a ver o a jugar con su contenido es una parte importante de la educación que debemos dar a nuestros hijos sobre tecnología.
- **Pon a los niños al mando.** Los niños solo aprenden a gestionar su tiempo y su atención cuando son ellos quienes controlan su comportamiento.

Séptima parte

CÓMO TENER RELACIONES INMUNES A LA DISTRACCIÓN

34

Dispersa anticuerpos sociales
entre tus amistades

Cuando estamos con amigos, nunca nos hallamos completamente a solas con ellos; casi seguro que nuestros teléfonos están presentes y listos para interrumpirnos con notificaciones que suenan en el peor momento. ¿Quién no ha visto a un amigo dejar de atender a una conversación para ponerse a mirar el móvil con aire reflexivo? La mayoría nos limitamos a aceptar esas interrupciones con resignación, porque es lo que hay.

Por desgracia, la distracción es contagiosa. Cuando se junta un grupo de fumadores, el primero en sacar el paquete lanza un mensaje y, cuando los demás lo ven, hacen lo mismo. De una forma parecida, los dispositivos digitales pueden provocar determinados comportamientos en los demás. Cuando alguien saca un móvil durante la cena, actúa como un disparador externo. Al rato, otros se pierden en sus pantallas y todo esto daña la conversación.

Los psicólogos llaman a este fenómeno «contagio social», y algunos investigadores han concluido que influye en nuestro comportamiento, desde el consumo de drogas hasta comer en exceso.[1] Cuesta cuidar tu peso si tu pareja y tus hijos devoran una docena de dónuts de glaseados mientras tú picoteas tu ensalada verde, y cuesta cambiar tus hábitos tecnológicos cuando tu familia y tus amigos te rehúyen porque están pendientes de sus pantallas.[2]

Dada la enorme influencia que tienen los demás en nuestros actos, ¿cómo podemos gestionar las distracciones cuando estamos con las personas con quienes queremos pasar tiempo de calidad sin interrupciones? ¿Cómo cambiamos nuestra tendencia a la distracción cuando quienes nos rodean no lo hacen?

El ensayista e inversor Paul Graham escribe que las sociedades tienden a desarrollar «anticuerpos sociales» para defenderse contra nuevos comportamientos perjudiciales.[3] Piensa que en 1965, según los Centros para el Control de Enfermedades de Estados Unidos, el 42,4 por ciento de los estadounidenses fumaba, un número que se prevé que habrá descendido hasta solo el 12 por ciento en 2020.[4] Obviamente, las restricciones legales tuvieron un papel importante en el descenso precipitado de las tasas de tabaquismo. Sin embargo, las leyes no evitan que las personas fumen en su casa y, aun así, esa costumbre cambió incluso en ausencia de regulación.

Recuerdo que, cuando yo era pequeño, mis padres tenían ceniceros por toda la casa, aunque ellos no fumaban. En aquella época, la gente fumaba en los espacios cerrados, cuando había niños cerca y en las oficinas: fumaban donde les daba la gana. Mi madre es esforzaba todo lo que podía para desincentivar el consumo de tabaco, poniendo un cenicero en forma de mano de esqueleto, pero ese recordatorio poco sutil de las consecuencias del tabaquismo era lo único que se sentía cómoda haciendo. En aquella época, se consideraba raro, si no de mala educación, pedirle a alguien que fumara fuera de tu casa.

Hoy en día, sin embargo, la cosa ha cambiado mucho. Yo nunca he tenido un cenicero. Nadie me ha pedido nunca permiso para fumar en mi casa; ya saben la respuesta. Me da miedo imaginar la cara que pondría mi esposa si alguien intentara encenderse un cigarrillo en el sofá de nuestro salón: esa persona saldría disparada de nuestra casa y de nuestro círculo de amistades.

¿Cómo han cambiado tanto las normas sociales sobre el consumo de tabaco en solo una generación? Según la teoría de Graham, las personas adquirieron anticuerpos sociales para protegerse, de una forma parecida a como nuestros cuerpos luchan contra las bacterias y los virus que pueden hacernos daño. El remedio para la distracción en contextos sociales implica el desarrollo de nuevas normas que conviertan en tabú consultar el teléfono en compañía de otras personas.

Las normas sociales están cambiando, que lo hagan a mejor está en nuestra mano.

La única manera de asegurarnos de que determinados comportamientos malsanos ya no sean aceptables es señalarlos y encargarnos de ellos con anticuerpos sociales que eviten su expansión. La táctica funcionó con el tabaco y puede hacerlo también con las distracciones digitales.

Imagina que estás en una cena y alguien saca el móvil y empieza a escribir. Aunque seguramente tú ya sabes que ponerte a trastear con un dispositivo en un contexto social íntimo es una falta de educación, a menudo hay al menos una persona que aún no conoce la nueva norma social. Dejarla en ridículo frente a los demás no es buena idea, asumiendo que quieras conservar la amistad: hace falta una táctica más sutil.

Para mantener el ambiente de cordialidad, un enfoque sencillo y eficaz es plantear una pregunta directa que puede sacar al culpable de su teléfono usando una de estas dos opciones: (1) explicando que tiene que atender a una crisis que está sucediendo en su dispositivo o (2) teniendo la amabilidad de guardar el móvil. La pregunta es: «Veo que estás con el teléfono. ¿Ha pasado algo?».

Recuerda decirlo con sinceridad, al fin y al cabo, podría estar atendiendo una urgencia real. Pero, la mayoría de las veces, la persona murmurará una disculpa, volverá a meterse el teléfono en el bolsillo y empezará a disfrutar otra vez de la noche. ¡Has ganado! Has logrado distribuir astutamente anticuerpos sociales contra el *phubbing* o «ningufoneo», una palabra acuñada por la agencia de publicidad McCann para el diccionario Macquarie.[5]

Ningufoneo, que viene de unir las palabras «ningunear» y «teléfono», significa «ignorar (a una persona o un contexto) en una situación social trasteando con el móvil u otro dispositivo». El diccionario reunió a un grupo de expertos para crear la palabra y proporcionar a las personas un nombre para ese problema. Ahora depende de nosotros empezar a usar el término, para que se convierta en otro anticuerpo social positivo en nuestro arsenal contra las distracciones en contextos sociales.

Las tecnologías modernas, como los *smartphones*, las tabletas y los portátiles, no son las únicas fuentes de distracción en contextos sociales.

Muchos restaurantes tienen pantallas que ocupan toda la pared, cada una sintonizada en un canal distinto, con lo que muestran desde noticias de última hora hasta encuentros deportivos que pueden interrumpir fácilmente en una conversación. Como solemos tolerar que haya televisores encendidos de fondo en contextos sociales, estos pueden ser igual de perniciosos, o más, y distraernos de las personas con las que estamos.

Las distracciones entre amigos pueden adoptar otras formas, incluida la de nuestros hijos. Por ejemplo, durante una quedada reciente, cuando un buen amigo empezó a hablarnos de problemas personales y laborales, uno de sus hijos se acercó a la mesa para pedir zumo. La conversación se centró inmediatamente en las necesidades del niño.

Una interrupción tan inocente tiene la capacidad de desviar una conversación importante y sobre temas sensibles, de esas que asientan las amistades íntimas. La siguiente vez que cenamos juntos nos aseguramos de poner cualquier cosa que los niños pudieran querer, comida y bebida incluidas, en otra habitación. Los niños recibieron instrucciones claras de no interrumpir a los adultos a menos que alguien estuviera sangrando.

Debemos examinar todos los disparadores externos, ya procedan de nuestro teléfono o de nuestros hijos, para comprobar que están a nuestro servicio. Para los niños también es mejor que aprendan a cuidar de sí mismos y, al ver el ejemplo de sus padres en su grupo de amigos, también aprenden la importancia de evitar las distracciones y centrarse en sus amistades. Si no reservamos tiempo y espacio sin distracciones a propósito para poder hablar, nos arriesgamos a perder la oportunidad de conocer de verdad a los demás y permitirles conocernos de verdad a nosotros.

INMUNE A LA DISTRACCIÓN

Del mismo modo que la sociedad redujo el consumo social de tabaco con anticuerpos sociales, podemos reducir las distracciones cuando estamos con amigos. Estableciendo acuerdos con nuestros amigos y familiares para gestionar las distracciones y tomando medidas para eliminar los disparadores externos que no nos sirven, podemos poner en cuarentena el contagio social de la distracción cuando estamos con nuestros seres queridos.

RECUERDA

- **Las distracciones en contextos sociales pueden hacer que no estemos del todo presentes con las personas importantes de nuestra vida.** Las interrupciones degradan nuestra capacidad para establecer lazos sociales de intimidad.
- **Impide que los comportamientos malsanos se extiendan.** Los «anticuerpos sociales» son formas que tienen los grupos de protegerse de comportamientos perjudiciales convirtiéndolos en tabús.
- **Desarrolla nuevas normas sociales.** Podemos esquivar la distracción entre amigos del mismo modo que acabamos con el tabaquismo social, convirtiendo en inaceptable el uso de dispositivos en contextos sociales. Prepárate un par de frases educadas, como preguntar «¿Pasa algo?», para desincentivar el uso del teléfono entre amigos.

296

35

Sé inmune a la distracción en el amor

Todas las noches, mi esposa y yo teníamos la misma rutina: acostábamos a nuestra hija, nos lavábamos los dientes y nos poníamos el pijama. Bajo las sábanas, nos mirábamos y sabíamos que había llegado el momento de hacer lo que hacen las parejas en la cama: acariciar su móvil, ella; y deslizar tiernamente las yemas de los dedos por el iPad, yo. ¡Dios mío, qué gusto!

Estábamos teniendo una aventura con nuestros dispositivos. Al parecer, no éramos los únicos que habíamos cambiado los preliminares por Facebook. Según una encuesta, «Casi un tercio de los estadounidenses preferiría dejar de practicar sexo durante un año que dejar de tener acceso a su teléfono durante ese mismo periodo de tiempo».[1]

Antes de aprender a ser inmunes a la distracción, estaba claro que nos costaba resistirnos al atractivo de las notificaciones de nuestros *smartphones*. La promesa de contestar solo a un correo electrónico después de cenar pronto se convirtió en cuarenta y cinco minutos de pérdida de intimidad esa noche. Habíamos adquirido el ritual de usar nuestra tecnología cada uno por su lado hasta medianoche. Para cuando nos metíamos en la cama, ya estábamos muy cansados para charlar. Nuestra relación, por no hablar de nuestra vida sexual, se resintió.

Formábamos parte del 65 por ciento de estadounidenses adultos que, según el Pew Research Center, duermen con el teléfono en la cama o al lado.[2] Como los hábitos dependen de un disparador, nuestros actos suelen ser provocados por cosas que nos rodean. Decidimos sacar los teléfonos de la habitación y dejarlos en el salón y, con los disparadores externos fuera, recuperamos un poco el control sobre nuestra tecnoinfidelidad.

Pero, después de unas cuantas noches sin teléfono, empecé a sentir una ansiedad estresante. Mi mente estaba ocupada con todas las cosas que reclamaban mi atención. ¿Y si me habían mandado un correo electrónico urgente? ¿Qué decía el último comentario en mi blog? ¿Me había perdido algo importante en X? El estrés era palpable y doloroso, así que hice lo que haría cualquiera que se haya comprometido firmemente a dejar un mal hábito: trampas.

Sin acceso a mi teléfono, necesitaba un nuevo cómplice. Para mi alivio, sentí que mi ansiedad desaparecía cuando saqué el portátil y empecé a teclear en él. Mi esposa, al ver lo que estaba haciendo, vio la oportunidad de aliviar su propio estrés, y vuelta a empezar.

Después de unas cuantas noches con nuestras máquinas, reconocimos el fracaso. Avergonzados, pero decididos a entender en qué nos estábamos equivocando, comprendimos que nos habíamos saltado un paso primordial. No habíamos aprendido a afrontar la incomodidad que nos había arrastrado de vuelta al principio. Mostrando compasión por nosotros mismos, esta vez decidimos empezar buscando formas de gestionar los disparadores internos que nos arrastraban a los comportamientos no deseados.

Implementamos una regla de los diez minutos y prometimos que, si de verdad queríamos utilizar un dispositivo por la noche, esperaríamos diez minutos antes de hacerlo. La norma nos daba tiempo para «surfear el impulso» e insertaba una pausa para interrumpir lo que no dejaba de ser un hábito mecánico.

También conectamos el rúter de internet y los monitores a temporizadores que los desconectaban. Nos costaron siete dólares en la ferretería y los programamos para que se activaran cada noche a las diez. Al utilizar este compromiso de esfuerzo, la idea de hacer trampas implicaba agacharnos debajo del escritorio para desactivar los temporizadores, lo que era muy incómodo.

Resumiendo, estábamos progresando en el uso de los cuatro métodos para ser inmunes a la distracción. Aprendimos a afrontar el estrés de abandonar la compulsión de recurrir a la tecnología por las noches y, con el tiempo, nos resultó más fácil resistirnos. Nos pusimos una hora muy estricta para acostarnos y declaramos la habitación un espacio sagrado, por lo que cualquier disparador externo, como el teléfono móvil o el televisor, debía quedarse fuera. El temporizador que apagaba las distracciones no deseadas nos hacía cumplir nuestro compromiso previo. Empezamos a usar ese tiempo que habíamos recuperado para propósitos más «productivos» a medida que teníamos un mayor control de nuestros hábitos.

Aunque nos enorgullecía nuestro invento para bloquear la tecnología, ahora hay muchos rúters, como el Eero, que vienen con esta prestación incorporada.[3] Si pierdo la noción del tiempo e intento revisar mi correo electrónico después de las diez de la noche, un mensaje de mi rúter me recuerda que debo alejarme del ordenador e ir a acurrucarme con mi esposa.

Las distracciones pueden salir caras a nuestras relaciones más íntimas; el precio de poder conectar con cualquier persona del mundo es que quizá no vamos a estar del todo presentes con la persona que tenemos físicamente al lado.

A mi esposa y a mí siguen encantándonos nuestros dispositivos y no tenemos problemas para adoptar posibles innovaciones que mejoren nuestra vida, pero queremos beneficiarnos de la tecnología sin sufrir los efectos nefastos que puede tener en nuestra relación. Al aprender a gestionar nuestros disparadores internos, reservar tiempo para las cosas que de verdad queremos hacer, eliminar los disparadores externos perjudiciales y usar compromisos previos, hemos sido capaces por fin de vencer a las distracciones en nuestra relación.

Como has leído en la primera parte: «Ser inmunes a la distracción consiste en esforzarnos en hacer lo que hemos dicho que haríamos». *Esforzarse* significa: «Hacer esfuerzos física o moralmente con algún fin».* No significa ser perfectos o no

---

* *Diccionario de la lengua española de la RAE*, «esforzar», cuarta acepción, consultado el 18 de febrero de 2025, <https://dle.rae.es/esforzar?m=form>. En el original en inglés se emplea la palabra *strive*. (*N. de la T.*)

equivocarnos nunca. A mí a veces también me cuesta no distraerme, como a todo el mundo. Cuando estoy especialmente estresado o mi horario cambia de forma inesperada, puedo descarrilar.

Por suerte, los cinco años de investigación y escritura de este libro me han enseñado a luchar contra la distracción y a ganarle la partida. Sigo distrayéndome, pero ahora sé qué hacer para parar. Estas técnicas me han permitido recuperar el control de mi vida en ámbitos en los que antes no podía. Soy tan sincero conmigo como con los demás, mis valores rigen mi vida, cumplo mis compromisos con mis seres queridos y, en el plano profesional, soy más productivo que nunca.

Hace poco, recordé la conversación que había tenido con mi hija sobre qué superpoder le gustaría tener. Tras disculparme por no haber estado del todo presente la última vez que habíamos hablado de eso, le pedí que volviera a contármelo. Lo que me dijo me dejó pasmado: respondió que quería tener el poder de ser siempre buena con los demás.

Después de enjugarme los ojos y darle un fuerte abrazo, pensé un rato en su respuesta. Entendí que la bondad no era un superpoder místico que solo se obtiene tras tomar una poción mágica: todos tenemos el poder de ser buenos cuando queramos. Solo tenemos que dominar un poder que ya poseemos.

Lo mismo sucede con ser inmune a la distracción. Al hacerlo, podemos convertirnos en ejemplo para otras personas. En el lugar de trabajo, podemos usar estas tácticas para transformar nuestras organizaciones y crear un efecto dominó tanto dentro de nuestro sector como fuera. En casa, podemos inspirar a nuestra familia para probar estos métodos y vivir las vidas que imaginamos.

Todos podemos esforzarnos en hacer lo que hemos dicho que haríamos. Todos tenemos el poder de ser inmunes a la distracción.

RECUERDA

- **Las distracciones pueden ser un impedimento en nuestras relaciones más íntimas.** La conectividad digital instantánea puede darse a costa de estar del todo presentes con quienes tenemos al lado.
- **Las parejas inmunes a la distracción reservan tiempo para estar juntas.** Seguir los cuatro pasos para ser inmune a la distracción puede asegurarte tener tiempo para tu pareja.
- **Ahora te toca a ti convertirte en inmune a la distracción.**

¿Te ha gustado este libro?

¡Enhorabuena y gracias por acabar de leer este libro! Espero que pongas en práctica lo que has leído en él, y que te sirva.

Si tienes un momento, te agradecería que dejaras una valoración en línea sobre él. Hacerlo ayudará mucho a que otras personas se animen a leer *Inmune a la distracción* y yo lo consideraré un gran favor personal.

¡Gracias de antemano! Por favor, visita:

\<NirAndFar.com/ReviewIndistractable\>

Y, por favor, mándame cualquier pregunta, comentario, corrección o crítica constructiva (en inglés) a:

\<NirAndFar.com/Contact\>

¡Mi más sincero agradecimiento!

Nir

Conclusiones de cada capítulo

Introducción

Capítulo 1: Vivir la vida que quieres no solo te exige hacer lo «correcto», sino también dejar de hacer las cosas incorrectas.

Capítulo 2: La tracción te aproxima a lo que de verdad quieres, mientras que la distracción te aleja. Ser inmune a la distracción consiste en esforzarnos en hacer lo que hemos dicho que haríamos.

Primera parte. Domina los disparadores internos

Capítulo 3: La motivación es un deseo de escapar de la incomodidad. Busca la causa origen de la distracción en lugar de las adyacentes.

Capítulo 4: Aprende a gestionar la incomodidad en lugar de intentar escapar de ella mediante la distracción.

Capítulo 5: Deja de intentar reprimir activamente tus impulsos, solo los hace más intensos. En lugar de eso, obsérvalos y deja que se disuelvan.

Capítulo 6: Reimagina el disparador interno. Busca la emoción negativa previa a la distracción, escríbela y presta atención a la sensación negativa con curiosidad en vez de con desdén.

Capítulo 7: Reimagina la tarea. Conviértela en un juego prestándole una atención «disparatada e incluso absurda». Busca activamente la novedad.

Capítulo 8: Reimagina tu carácter. La forma en que te hablas importa. Tu fuerza de voluntad solo se acaba si tú crees que se acaba. Evita etiquetarte como una persona que «se distrae fácilmente» o como alguien que tiene una «personalidad adictiva».

Segunda parte. Reserva tiempo para la tracción

Capítulo 9: Convierte tus valores en tiempo. Distribuye tu día en cajas de tiempo creando una plantilla de horario.

Capítulo 10: Reserva tiempo para ti. Planea lo que entra y lo que sale llegará.

Capítulo 11: Reserva tiempo para las relaciones importantes. Incluye las tareas del hogar así como el tiempo que dedicas a tus seres queridos. Incluye tiempo para tus amigos en tu horario a intervalos regulares.

Capítulo 12: Sincroniza tu horario con las demás partes interesadas.

Tercera parte. Manipula a tu favor los disparadores externos

Capítulo 13: Frente a cada disparador externo pregúntate: «¿Este disparador está a mi servicio o estoy yo al suyo?». ¿Te conduce a la tracción o a la distracción?

Capítulo 14: Defiende tu concentración. Indica que no quieres que te interrumpan.

Capítulo 15: Para recibir menos correos electrónicos, también debes enviar menos. Al revisar tu correo electrónico, etiqueta cada mensaje en función de cuándo tienes que responder y hazlo en el momento que hayas reservado para esta tarea.

Capítulo 16: Entra y sal de los grupos de mensajería instantánea en el horario que hayas reservado para esta tarea. Incluye solo a las personas necesarias y no los uses para pensar en voz alta.

Capítulo 17: Que no sea tan fácil convocar una reunión. Sin orden del día no hay reunión. Las reuniones son para generar consensos y no para resolver problemas. Deja todos los dispositivos fuera de la sala de reuniones excepto un portátil.

Capítulo 18: Utiliza las aplicaciones que te distraen en el ordenador de sobremesa en lugar de en el teléfono. Organiza las aplicaciones y configura las notificaciones. Activa el modo No molestar.

Capítulo 19: Desactiva las notificaciones de tu ordenador de sobremesa. Elimina cualquier posible distracción de tu lugar de trabajo.

Capítulo 20: Guarda los artículos en línea en Pocket para leerlos o escucharlos en el momento en que tú decidas, según tu horario. Usa la «multitarea multicanal».

Capítulo 21: Recurre a extensiones del navegador que te permitan disfrutar de las ventajas de las redes sociales sin todas sus distracciones. Encontrarás enlaces a otras herramientas en: <NirAndFar.com/Indistractable>.

Cuarta parte. Evita las distracciones mediante compromisos

Capítulo 22: El antídoto para la impulsividad es la planificación. Planifica cuándo crees que puedes distraerte.

Capítulo 23: Usa los compromisos de esfuerzo para que te resulte más difícil llevar a cabo conductas no deseadas.

Capítulo 24: Recurre a un compromiso económico para que distraerte te salga caro.

Capítulo 25: Utiliza los compromisos identitarios como compromisos previos con una autoimagen. Autodenomínate «inmune a la distracción».

Quinta parte. Cómo hacer que tu lugar de trabajo sea inmune a la distracción

Capítulo 26: La cultura de la disponibilidad absoluta nos enloquece.

Capítulo 27: El uso excesivo de la tecnología en el trabajo es síntoma de una cultura empresarial disfuncional. La causa origen es una cultura sin «seguridad psicológica».

Capítulo 28: Para crear una cultura que valore concentrarse en el trabajo, empieza por las cosas pequeñas y busca formas de facilitar un diálogo abierto con los compañeros de trabajo sobre el problema.

Sexta parte. Cómo criar niños inmunes a la distracción (y por qué todos necesitamos nutrientes psicológicos)

Capítulo 29: Busca la causa origen de la distracción de tus hijos. Enséñales las cuatro partes del modelo inmune a la distracción.

Capítulo 30: Asegúrate de que las necesidades psicológicas de tus hijos están cubiertas. Todas las personas necesitan sentir que son autónomas, competentes y que forman parte de algo. Si las necesidades de los niños no están cubiertas en el mundo real, buscan hacerlo en internet.

Capítulo 31: Enseña a tus hijos a crear horarios estructurados en cajas de tiempo. Deja que reserven tiempo para hacer actividades que les gusten, incluido pasar el rato en línea.

Capítulo 32: Trabaja con tus hijos para eliminar disparadores externos no deseados. Asegúrate de que saben cómo apagar los disparadores externos que los distraen y no te conviertas tú en uno.

Capítulo 33: Ayuda a tus hijos a asumir compromisos y asegúrate de que saben que gestionar las distracciones es responsabilidad suya. Enséñales que las distracciones son un problema que puede solucionarse y que convertirse en inmune a la distracción es una habilidad para toda la vida.

Séptima parte. Cómo tener relaciones inmunes a la distracción

Capítulo 34: Si alguien usa un dispositivo en un contexto social, pregúntale: «Veo que estás con el teléfono. ¿Ha pasado algo?».
Capítulo 35: Saca los dispositivos de tu habitación y haz que la conexión a internet se apague automáticamente a una hora concreta.

Plantilla de horario

Si quieres una herramienta en línea gratuita para crear horarios, ve a <NirAndFar.com/Indistractable>.

	Lunes	Martes	Miércoles	Jueves	Viernes	Sábado	Domingo
7.00							
8.00							
9.00							
10.00							
11.00							
12.00							
13.00							
14.00							
15.00							
16.00							
17.00							
18.00							
19.00							
20.00							
21.00							
22.00							
23.00							

Monitor de distracciones

(Las instrucciones de uso aparecen en el capítulo 9.)

Hora	Distracción	Sensación	Interna	Externa	Problema de planificación	Ideas
8.15	He consultado las noticias	Ansiedad	X			Surfear el impulso
9.32	Me he puesto a consultar Google en vez de escribir	Frustración	X			Ponerme un objetivo de tiempo y ver si soy capaz de cumplirlo

Agradecimientos

Tardé más de cinco años en escribir *Inmune a la distracción* y tengo que dar las gracias a muchas personas por sus aportaciones a este proyecto.

En primer lugar, mi más profundo agradecimiento a mi compañera en los negocios y en la vida, Julie Li. Sus aportaciones a este proyecto son inconmensurables. Julie me dio permiso para contar historias íntimas de nuestro matrimonio, estuvo siempre a mi lado para ayudarme a probar ideas y tácticas, y dedicó una cantidad ingente de horas a mejorar este libro. Hemos recorrido juntos este camino en todo momento, y ella es mi motivación y mi inspiración para ser un hombre mejor.

A continuación, gracias a Jasmine, mi hija, que no solo me inspiró para convertirme en inmune a la distracción, sino que (a su manera, la de una niña de diez años) también contribuyó de forma entusiasta en el título, el diseño gráfico de la portada y la estrategia de *marketing* de este libro.

Y, claro está, a mis padres, Ronit y Victor, y a mis suegros, Anne y Paul, por su aliento. Que apoyen con entusiasmo todos y cada uno de mis disparatados proyectos significa mucho para mí.

Gracias a los valientes que leyeron los primeros borradores (crudísimos) de este libro. Gracias a Eric Barker, Caitlin Bauer, Gaia Bernstein, Jonathan Bolden, Cara Cannella, Linda Cyr, Geraldine DeRuiter, Kyle Eschenroeder, Monique Eyal, Omer Eyal, Rand Fishkin, Jose Hamilton, Wes Kao, Josh Kaufman, Carey Kolaja, Carl Marci, Jason Ogle, Ross Overline, Taylor Pearson, Jillian Richardson, Alexandra Samuel, Oren Shapira, Vikas Singhal, Shane Snow, Charles Wang y Andrew Zimmermann. Leer un primer manuscrito es un trabajo muy complicado, y no puedo agradeceros lo suficiente vuestros comentarios, ideas y reflexiones.

Gracias a Christy Fletcher y a su equipo, por ser unos representantes de primera. Christy es una agente maravillosa, y le debo un agradecimiento enorme por sus consejos y su amistad. Gracias a Melissa Chinchillo, Grainne Fox, Sarah Fuentes, Veronica Goldstein, Elizabeth Resnick y Alyssa Taylor de Fletcher & Co.

También quiero dar las gracias a Stacy Creamer de Audible, así como a su equipo en BenBella, incluidas Sarah Avinger, Heather Butterfield, Jennifer Canzoneri, Lise Engel, Stephanie Gorton, Aida Herrera, Alicia Kania, Adrienne Lang, Monica Lowry, Vy Tran, Susan Welte, Leah Wilson y Glenn Yeffeth, por su esfuerzo para poner a la venta este libro.

Alexis Kirschbaum en Bloomsbury fue mucho más allá de lo que cualquier autor puede pedir de una editora y tuvo un papel importantísimo a la hora de mejorar este libro. Ella y sus compañeras, Hermione Davis, Thi Dinh, Genevieve Nelsson, Andy Palmer, Genista Tate-Alexander y Angelique Tran Van Sang, merecen mi más sincera gratitud.

Gracias a las siguientes personas por su ayuda en la investigación, la edición y la corrección de *Inmune a la distrac-*

ción: Karen Beattie, Matthew Gartland, Jonah Lehrer, Janna Marlies Maron, Mickayla Mazutinec, Paulette Perhach, Chelsea Robertson, Ray Sylvester y AnneMarie Ward.

Un agradecimiento especial a Thomas Kjemperud y Andrea Schumann por su ayuda en la gestión de <NirAnd-Far.com>. Gracias también a Carla Cruttenden, Damon Nofar y Brett Red por los gráficos de este libro, y a Rafael Arizaga Vaca por ayudarme en más proyectos de los que soy capaz de contar. ¡No hay forma de expresar toda mi gratitud a estas maravillosas personas!

También quiero dar las gracias por su apoyo moral e intelectual a las siguientes personas: Arianna Huffington, por su entusiasmo con este proyecto; Mark Manson, Taylor Pearson y Steve Kamb, por ser compañeros de trabajo estables y por ayudarme a mantener la concentración durante la escritura de este libro; Adam Gazzaley, por proporcionarme generosamente el dominio <Indistractable.com>; y James Clear, Ryan Holiday, David Kadavy, Fernanda Neute, Shane Parrish, Kim Raices, Gretchen Rubin, Tim Urban, Vanessa Van Edwards, Alexandra Watkins y Ryan Williams por compartir sus puntos de vista y ofrecerme magníficos consejos.

Estoy segurísimo de que me dejo a personas muy importantes. Junto con mis disculpas, os pido que invoquéis la navaja de Hanlon: «Nunca atribuyas a la malicia lo que puede explicar la estupidez». ¡Lo siento y gracias!

Y por último, y más importante, gracias a ti, que me lees. Significa muchísimo para mí que dediques tu valioso tiempo y tu valiosa atención a este libro. No dudes en ponerte en contacto conmigo si puedo ayudarte en <NirAndFar.com/Contact>.

Colaboradores

Gracias a los leales suscriptores de mi blog que nombro a continuación por su ayuda en la edición colectiva de *Inmune a la distracción*. Sus aportaciones, sugerencias y aliento han sido sumamente importantes para convertir este libro en lo que es.

Reed Abbott
Shira Abel
Zalman Abraham
Eveline van Acquoij
Daniel Adeyemi
Patrick Adiaheno
Sachin Agarwal
Avneep Aggarwal
Vineet Aggarwal
Abhishek Kumar
  Agrahari
Neetu Agrawal
Sonali Agrawal
Syed Ahmed

Matteus Åkesson
Stephen Akomolafe
Alessandra Albano
Chrissy Allan
Patricia De
  Almeida
Hagit Alon
Bos Alvertos
Erica Amalfitano
Mateus Gundlach
  Ambros
Iuliia Ankudynova
Tarkan Anlar
Lauren Antonoff

Jeremi Walewicz
  Antonowicz
Kavita Appachu
Yasmin Aristizabal
Lara Ashmore
Aby Atilola
Jeanne Audino
Jennifer Ayers
Marcelo Schenk
  de Azambuja
Xavier Baars
Deepinder Singh
  Babbar
Rupert Bacon

Shampa Bagchi
Warren Baker
Tamar Balkin
Giacomo Barbieri
Surendra Bashani
Asya Bashina
Omri Baumer
Jeff Beckmen
Walid Belballi
Jonathan Bennun
Muna Benthami
Gael Bergeron
Abhishek Bhardwaj
Kunal Bhatia
Marc Biemer
Olia Birulia
Nancy Black
Eden Blackwell
Charlotte Blank
Kelli Blum
Rachel Bodnar
Stephan Borg
Mia Bourgeois
Charles Brewer
Sam Brinson
Michele Brown
Ryan Brown
Jesse Brown
Sarah E. Brown
Michelle E.
  Brownstein

John Bryan
Renée Buchanan
Scott Bundgaard
Steve Burnel
Michael Burroughs
Tamar Burton
Jessica Cameron
Jerome Cance
Jim Canterucci
Ryan Capple
Savannah Carlin
James Carman
Karla H. Carpenter
Margarida
  Carvalho
Anthony Catanese
Shubha
  Chakravarthy
Karthy Chandra
Joseph Chang
Jay Chaplin
David Chau
Janet Y. Chen
Ari Cheskes
Dennis Chirwa
Kristina Yuh-Wen
  Chou
Ingrid Choy-Harris
William Chu
Michelle M. Chu
Jay Chung

Matthew Cinelli
Sergiu Vlad
  Ciurescu
Trevor Claiborne
Kay Krystal
  Clopton
Heather Cloward
Lilia M. Coburn
Pip Cody
Michele Helene
  Cohen
Luis Colin
Abi Collins
Kerry Cooper
Dave Cooper
Simon Coxon
Carla Cruttenden
Dmitrii Cucleschin
Patrick Cullen
Leo Cunningham
Gennaro Cuofano
Ed Cutshaw
Larry Czerwonka
Lloyd D'Silva
Jonathan Dadone
Sharon F. Danzger
Kyle Huff David
Lulu Davies
James Davis Jr.
Joel Davis
Cameron Deemer

Stephen Delaney
Keval D. Desai
Ankit S. Dhingra
Manuel Dianese
Jorge Dieguez
Lisa Hendry Dillon
Sam Dix
Lindsay Donaire
Ingrid Elise Dorai-
  Rekaa
Tom Droste
Nan Duangnapa
Scott Dunlap
Akhilesh Reddy
  Dwarampudi
Swapnil Dwivedi
Daniel Edman
Anders Eidergard
Dudi Einey
Max Elander
Ori Elisar
Katie Elliott
Gary Engel
David Ensor
Eszter Erdelyi
Ozge Ergen
Bec Evans
David Evans
Shirley Evans
Jeff Evernham
Kimberly Fandino

Kathlyn Farrell
Hannah Farrow
Michael Ferguson
Nissanka Fernando
Margaret Fero
Kyra Fillmore
Yegor Filonov
Fabian Fischer
Jai Flicker
Collin Flotta
Michael Flynn
Kaleigh Flynn
Gio Focaraccio
Ivan Foong
Michael A.
  Foster II
Martin Foster
Jonathan Freedman
Heather Friedland
Janine Fusco
Pooja V. Gaikwad
Mario Alberto
  Galindo
Mary Gallotta
Zander Galloway
Sandra Gannon
Angelica Garcia
Anyssa Sebia Garza
Allegra Gee
Tom Gilheany
Raji Gill

Scott Gillespie
Scott Gilly
Wendell Gingerich
Kevin Glynn
Paula Godar
Jeroen Goddijn
Anthony Gold
Dan Goldman
Miguel H.
  Gonzalez
Sandra Catalina
  González
Vijay
  Gopalakrishnan
Herve Le Gouguec
Nicholas Gracilla
Charlie Graham
Timothy L.
  Graham
Shawn Green
Chris Greene
Jennifer Griffin
Dani Grodsky
Rebecca Groner
Saksham Grover
Alcide Guillory III
Roberta Guise
Anjana
  Gummadivalli
Matt Gummow
Amit Gupta

John Haggerty
Martin Haiek
Lance Haley
Thomas Hallgren
Eric Hamilton
Caroline Hane-
  Weijman
Nickie Harber-
  Frankart
Julie Harris
Sophie Hart
Daniel Hegman
Christopher Heiser
Lisa Helminiak
Alecia Helton
Mauricio Hess-
  Flores
Holly Hester-
  Reilly
Andrea Hill
Neeraj Hirani
Isabella Catarina
  Hirt
Charlotte Jane Ho
Ian Hoch
Travis Hodges
Jason Hoenich
Alex J. Holte
Abi Hough
Mary Howland
Evan Huggins

Nathan Hull
Novianta L. T.
  Hutagalung
Marc Inzelstein
Varun Iyer
Britni Jackson
Mahaveer Jain
Abdellah Janid
Anne Janzer
Emilio Jéldrez
Debbie Jenkins
Alexandre Jeong
Amy M. Jones
Daniela Jones
Peter Jotanovic
Cindy Joung
Sarah Jukes
Steve Jungmann
Rocel Ann Junio
Kevin Just
Ahsan Kabir
Ariel Kahan
Sina Kahen
Sarah Kajani
Angela Kapdan
Shaheen Karodia
Irene Jena Karthik
Melissa Kaufmann
Gagandeep Kaur
Megan Keane
J. Bavani Kehoe

Karen Kelvie
Erik Kemper
Raye Keslensky
Jenny Shaw Kessler
Jeremy C. Kester
Kirk Ketefian
Nathan Khakshouri
Sarah Khalid
Sam Kirk
Rachel Kirton
Vinod Kizhakke
Samuel Koch
Alaina Koerber
Sai Prabhu
  Konchada
Jason Koprowski
Basavaraj Koti
Yannis Koutavas
David Kozisek
Aditya Kshirsagar
Ezekiel Kuang
Craig Kulyk
Ram Kunda
Ravi Kurani
Chris Kurdziel
Dimitry
  Kushelevsky
John Kvasnic
Jonathan Lai
Michael J. Lally
Roy Lamphier

Craig Lancaster
Niklas Laninge
Simon Lapscher
Angelo Larocca
Norman Law
Olga Lefter
Tory Leggat
Ieva Lekaviciute
Audrey Leung
Viviana Leveghi
Isaac E. H. Lewis
Belly Li
Sammy Chen Li
Philip Li
Robert Liebert
Brendan Lim
Carissa Lintao
Ross Lloyd
  Lipschitz
Mitchell Lisle
Mike Sho Liu
Shelly Eisen
  Livneh
John Loftus
Philip K. Lohr
Sune Lomholt
Sean Long
Alexis Longinotti
Glen Lubbert
Ana Lugard
Kenda Macdonald

Boykie Mackay
Andy Maes
Kristof Maeyens
Lisa Maldonado
Amin Malik
Danielle Manello
Frank Manue Jr.
Dan Mark
Kendra Markle
Ben Marland
Rob Marois
Judy Marshall
Levi Mårten
Denise J. Martin
Megan Martin
Kristina Corzine
  Martinez
Antonio J.
  Martínez Sanchez
Saji Maruthurkkara
Laurent Mascherpa
Mark Mavroudis
Ronny Max
Eva A. May
Lisa McCormack
Gary McCue
Michael McGee
Robert McGovern
Lyle McKeany
Sarah McKee
Marisa McKently

Erik van Mechelen
Hoda Mehr
Jonathan Melhuish
Sheetal G. Melwani
Ketriel J. Mendy
Valerae Mercury
Andreia Mesquita
Johan Meyer
Kaustubh S.
  Mhatre
Stéphanie Michaux
Ivory Miller
Jason Ming
Al Ming
Jan Miofsky
Ahmed A. Mirza
Peter Mitchell
Mika Mitoko
Meliza Mitra
Subarna Mitra
Aditya Morarka
Amina Moreau
David Morgan
Renee F. Morris
Matthew Morrisson
Alexandra Moxin
Alex Moy
Brian Muldowney
Namrata Mundhra
Jake Munsey
Mihnea Munteanu

Kevin C. Murray
Serdar Muslu
Karan Naik
Isabelle Di Nallo
Jeroen Nas
Vaishakhi Nayar
Jordan Naylor
Christine Neff
Jamie Nelson
Kemar Newell
Lewis Kang'ethe
    Ngugi
Chi Gia Nguyen
Christopher Nheu
Gerard Nielsen
Adam Noall
Tim Noetzel
Jason Nokes
Craig Norman
Chris Novell
Thomas O'Duffy
Scott Oakes
Cheily Ochoa
Leon Odey-Knight
Kelechi Okorie
Oluwatobi
    Oladiran
Valary Oleinik
Sue Olsen
Alan Olson
Gwendolyn Olton

Maaike Ono-Boots
Brian Ostergaard
Roland Osvath
Renz Pacheco
Nina Pacifico
Sumit Pahwa
Girri M.
    Palaniyapan
Vishal Kumar
    Pallerla
Rohit Pant
Chris V.
    Papadimitriou
Nick Pape
Divya Parekh
Rich Paret
Alicia Park
Aaron Parker
Steve Parkinson
Mizue Parrott
Lomit Patel
Manish Patel
Swati Patil
Jon Pederson
Alon Peled
Rodaan Peralta-
    Rabang
Marco Perlman
Christina Diem
    Pham
Hung Phan

Ana Pischl
Keshav Pitani
Rose La Prairie
Indira Pranabudi
Anne Curi Preisig
Julie Price
Martin Pritchard
Rungsun
    Promprasith
Krzysztof
    Przybylski
Edmundas
    Pučkorius
Călin Pupăză
Daisy Qin
Lien Quach
Colin Raab
Kelly Ragle
Ruta Raju
Lalit Raju
Kim Ramirez
Prashanthi
    Ravanavarapu
Gustavo Razzetti
Omar Regalado
Scott W. Rencher
Brian Rensing
Joel Rigler
Michelle Riley
Gina Riley
Ioana Rill

Mark Rimkus
Cinzia Rinelli
Chelsea Lyn
  Robertson
Bridgitt Ann
  Robertson
Reigh Robitaille
Cynthia Rodríguez
Annette Rodriguez
Charles François
  Roels
Linda Rolf
Edgar Roman
Mathieu Romary
Jamie Rosen
Al Rosenberg
Joy Rosenstein
Christian Röß
Megan Rounds
Ruzanna Rozman
Isabel Russ
Mark Ruthman
Samantha Ryan
Alex Ryan
Kimberly Ryan
Jan Saarmann
Guy Saban
Victoria Sakal
Luis Saldana
Daniel Tarrago
  Salengue

Gabriel Michael
  Salim
Jessica Salisbury
Rick Salsa
Francesco Sanavio
Moses Sangobiyi
Julia Saxena
Stephanie Schiller
Lynnsey Schneider
Kirk Schueler
Katherine
  Schuetzner
Jon Seaton
Addy Suhairi
  Selamat
Vishal Shah
Shashi Sharma
Keshav Sharma
Ruchil Sharma
Ashley Sheinwald
Stephanie Sher
Jing Han Shiau
Claire Shields
Greg Shove
Karen Shue
Kome Sideso
David Marc Siegel
Dan Silberberg
Bianca Silva
Mindy Silva
Brian L. Silva

Zach Simon
Raymond Sims
Shiv Sivaguru
Malin Sjöstrand
Antoine Smets
Sarah Soha
Steven Sohcot
Kaisa Soininen
David Spencer
James Taylor
  Stables
Kurt Stangl
Laurel Stanley
John A. Starmer
Juliano Statdlober
Christin Staubo
Ihor Stecko
Nick Di Stefano
Murray Steinman
Alexander Stempel
Seth Sternberg
Anthony Sterns
Shelby Stewart
Adam Stoltz
Alan Stout
Carmela Stricklett
Scott Stroud
Swetha Suresh
Sarah Surrette
Cathleen Swallow
Bryan Sykes

Eric Szulc
Lilla Tagai
Michel Tagami
J. P. Tanner
Shantanu Tarey
Claire Tatro
Harry E. Tawil
Noreen Teoh
C. J. Terral
Amanda Tersigni
Matt Tharp
Nay Thein
Brenton
  Thornicroft
Julianne Tillmann
Edwin Tin
Avegail Tizon
Zak Tomich
Roger Toor
Anders Toxboe
Jimmy Tran
Tom Trebes
Artem Troinoi
Justin Trugman
Kacy Turelli
Kunal Haresh
  Udani
Christian von Uffel
Jason Ugie
Matt Ulrich
Branislav Vajagić

Lionel Zivan
  Valdellon
Steve Valiquette
Jared Vallejo
René Van der Veer
Anulekha
  Venkatram
Poornima
  Vijayashanker
Claire Viskovic
Brigit Vucic
Thuy Vuong
Sean Wachsman
Maurizio
  Wagenhaus
Amelia Bland
  Waller
Shelley Walsh
Trish Ward
Levi Warvel
Kafi Waters
Adam Waxman
Jennifer Wei
Robin Tim Weis
Patrick Wells
Gabriel Werlich
Scott Wheelwright
Ed Wieczorek
Ward van de Wiel
Hannah Mary
  Williams

Robert Williger
Jean Gaddy Wilson
Rob Wilson
Claire Winter
Trevor Witt
Fanny Wu
Alex Wykoff
Maria Xenidou
Raj Yadav
Josephine Yap
Arsalan Yarveisi
Yoav Yechiam
Andrew Yee
Paul Anthony Yu
Mohamad Izwan
  Zakaria
Jeannie Zapanta
Anna Zaremba
Renee Zau
Ari Zelmanow
Linda Zespy
Fei Zheng
Rona Zhou
Lotte Zwijnenburg

Notas

Introducción. De *Hooked* a *Inmune a la distracción*

1. «Amazon Best Sellers: Best Sellers in Industrial Product Design», consultado el 29 de octubre de 2017, <www.amazon. com/gp/bestsellers/books/7921653011/ref=pd_zg_hrsr_b_1_6_ last>.
2. Paul Virilio, *Politics of the Very Worst*, Semiotext(e), Nueva York, 1999, p. 89. [Hay trad. cast. de Mónica Poole: *El cibermundo, la política de lo peor*, Cátedra, Madrid, 1999.]

I. ¿Cuál es tu superpoder?

1. Estoy parafraseando una cita de Marthe Troly-Curtin: «El tiempo que disfrutas perdiendo no es tiempo perdido», *Quote Investigator*, consultado el 19 de agosto de 2018, <https://quoteinves tigator.com/2010/06/11/time-you-enjoy/>.

2. Ser inmune a la distracción

1. Eurípides, *Orestes*, 4-13.

2. *Online Etymology Dictionary*, entrada «distraction», consultado el 15 de enero de 2018, <www.etymonline.com/word/distrac tion>.

3. Louis Anslow, «What Technology Are We Addicted to This Time?», *Timeline*, 27 de mayo de 2016, <https://timeline. com/what-technology-are-we-addicted-to-this-time-f0f7860 f2fab#.rfzxtvj1l>.

4. Platón, *Phaedrus*, traducción al inglés de Benjamin Jowett, 277a3-4, <http://classics.mit.edu/Plato/phaedrus.html>. [Traducido como *Fedro*, Gredos, Barcelona, 2014.]

5. H. A. Simon, «Designing Organizations for an Information-Rich World», en *Computers, Communication, and the Public Interest*, Martin Greenberger (ed.), Johns Hopkins Press, Baltimore, 1971, pp. 40-41.

6. Hikaru Takeuchi *et al.*, «Failing to Deactivate: The Association between Brain Activity During a Working Memory Task and Creativity», *NeuroImage* 55, n.º 2, 15 de marzo de 2011, pp. 681-687, <https://doi.org/10.1016/j.neuroimage.2010.11.052>; Nelson Cowan, «The Focus of Attention As Observed in Visual Working Memory Tasks: Making Sense of Competing Claims», *Neuropsychologia* 49, n.º 6, mayo de 2011, pp. 1401-1406, <https:// doi.org/10.1016/j.neuropsychologia.2011.01.035>; P. A. Howard-Jones y S. Murray, «Ideational Productivity, Focus Of Attention, and Context», *Creativity Research Journal* 15, n.º 2-3, 2003, pp. 153-166, <doi.org/10.1080/10400419.2003.9651409>; Nilli Lavie, «Distracted and Confused? Selective Attention under Load», *Trends in Cognitive Sciences* 9, n.º 2, 1 de febrero de 2005, pp. 75-82, <https://doi.org/10.1016/j.tics.2004.12.004>; Barbara J. Grosz y Peter C. Gordon, «Conceptions of Limited Attention and Discourse Focus», *Computational Linguistics* 25, n.º 4, 1999, pp. 617-

624, <http://aclweb.org/anthology/J/J99/J99-4006>; Amanda L. Gilchrist y Nelson Cowan, «Can the Focus of Attention Accommodate Multiple, Separate Items?», *Journal of Experimental Psychology, Learning, Memory, and Cognition* 37, n.º 6, noviembre de 2011, pp. 1484-1502, <https://doi.org/10.1037/a0024352>.

7. Julianne Holt-Lunstad, Timothy B. Smith y J. Bradley Layton, «Social Relationships and Mortality Risk: A Meta-analytic Review», *PLOS Medicine* 7, n.º 7, 27 de julio de 2010, <https://doi.org/10.1371/journal.pmed.1000316>.

3. ¿Qué nos motiva en realidad?

1. Zoë Chance, «How to Make a Behavior Addictive», charla TEDx en TEDxMillRiver, 14 de mayo de 2013, minuto 16.57, <www.youtube.com/watch?v=AHfiKav9fcQ>.

2. Zoë Chance en una entrevista con el autor, 16 de mayo de 2014.

3. Jeremy Bentham, *An Introduction to the Principles of Morals and Legislation*, nueva edición, corregida por el autor, 1823; reimpresión, Clarendon Press, Oxford, 1907, <www.econlib.org/library/Bentham/bnthPML1.html>.

4. Epicuro, «Letter to Menoeceus», en *Diogenaertius, Lives of Eminent Philosophers*, libro X, p. 131, <https://en.wikisource.org/wiki/Lives_of_the_Eminent_Philosophers/Book_X>.

5. Paul F. Wilson, Larry D. Dell y Gaylord F. Anderson, *Root Cause Analysis: A Tool for Total Quality Management*, American Society for Quality, Milwaukee, 1993.

6. Zoë Chance en conversación por correo electrónico con el autor, 11 de julio de 2014.

4. Gestionar el tiempo es gestionar el dolor

1. Max Roser, «The Short History of Global Living Conditions and Why It Matters That We Know It», *Our World in Data*, consultado el 30 de diciembre de 2017, <https://ourworldindata.org/a-history-of-global-living-conditions-in-5-charts>.

2. Adam Gopnik, «Man of Fetters», *The New Yorker*, 1 de diciembre de 2008, <www.newyorker.com/magazine/2008/12/08/man-of-fetters>.

3. R. F. Baumeister *et al.*, «Bad Is Stronger than Good», *Review of General Psychology* 5, n.º 4, diciembre de 2001, pp. 323-370, <https://doi.org/10,1037//1089-2680,5.4.323>.

4. Timothy D. Wilson *et al.*, «Just Think: The Challenges of the Disengaged Mind», *Science* 345, n.º 6192, 4 de julio de 2014, pp. 75-77, <https://doi.org/10.1126/science.1250830>.

5. «Top Sites in United States», *Alexa*, consultado el 30 de diciembre de 2017, <www.alexa.com/topsites/countries/US>.

6. Jing Chai *et al.*, «Negativity Bias in Dangerous Drivers», *PLOS One* 11, n.º 1, 14 de enero de 2016, <https://doi.org/10.1371/journal.pone.0147083>.

7. R. F. Baumeister *et al.*, «Bad Is Stronger than Good», *Review of General Psychology* 5, n.º 4, diciembre de 2001, pp. 323-370, <https://doi.org/10.1037//1089-2680.5.4.323>.

8. A. Vaish, T. Grossmann y A. Woodward, «Not All Emotions Are Created Equal: The Negativity Bias in Social-Emotional Development», *Psychological Bulletin* 134, n.º 3, 2008, pp. 383-403, <https://doi.org/10.1037/0033-2909.134.3.383>.

9. R. F. Baumeister *et al.*, «Bad Is Stronger than Good», *Review of General Psychology* 5, n.º 4, diciembre de 2001, pp. 323-370, <https://doi.org/10.1037//1089-2680.5.4.323>.

10. Wendy Treynor, Richard Gonzalez y Susan Nolen-Hoeksema, «Rumination Reconsidered: A Psychometric Analysis», *Cog-*

nitive Therapy and Research 27, n.º 3, 1 de junio de 2003, pp. 247-259, <https://doi.org/10.1023/A:1023910315561>.

11. N. J. Ciarocco, K. D. Vohs y R. F. Baumeister, «Some Good News About Rumination: Task-Focused Thinking After Failure Facilitates Performance Improvement», *Journal of Social and Clinical Psychology* 29, n.º 10, 2010, pp. 1057-1073, <http://assets.csom.umn.edu/assets/166704.pdf>.

12. K. M. Sheldon y S. Lyubomirsky, «The Challenge of Staying Happier: Testing the Hedonic Adaptation Prevention Model», *Personality and Social Psychology Bulletin*, 38, 23 de febrero de 2012, p. 670, <http://sonjalyubomirsky.com/wp-content/themes/sonjalyubomirsky/papers/SL2012.pdf>.

13. David Myers, *The Pursuit of Felicidad*, William Morrow & Co., Nueva York, 1992, p. 53.

14. Richard E. Lucas *et al.*, «Reexamining Adaptation and the Set Point Model of Happiness: Reactions to Changes in Marital Status», *Journal of Personality and Social Psychology* 84, n.º 3, 2003, pp. 527-539, <www.apa.org/pubs/journals/releases/psp-843527.pdf>.

5. Lidiar con la distracción desde dentro

1. «Jonathan Bricker, Psychologist and Smoking Cessation Researcher», Fred Hutch, consultado el 4 de febrero de 2018, <www.fredhutch.org/en/diseases/featured-researchers/bricker-jonathan.html>.

2. Fiódor Dostoyevski, *Winter Notes on Summer Impressions*, traducido al inglés por David Patterson, reedición de 1988, Northwestern University Press, Evanston, Ill., 1997. [Traducido como *Apuntes de invierno sobre impresiones de verano*, Hermida Editores, Madrid, 2017.]

3. Lea Winerman, «Suppressing the "White Bears"», *Monitor*

on Psychology 42, n.º 9, octubre de 2011, <https://www.apa.org/mo nitor/2011/10/unwanted-thoughts>.

4. Nicky Blackburn, «Smoking–a Habit Not an Addiction», *ISRAEL21c* 18 de julio de 2010, <www.israel21c.org/smoking-a-habit-not-an-addiction/>.

5. Reuven Dar *et al.*, «The Craving to Smoke in Flight Attendants: Relations with Smoking Deprivation, Anticipation of Smoking, and Actual Smoking», *Journal of Abnormal Psychology* 119, n.º 1, febrero de 2010, pp. 248-253, <https://doi.org/10.1037/a0017778>.

6. Cecilia Cheng y Angel Yee-lam Li, «Internet Addiction Prevalence and Quality of (Real) Life: A Meta-analysis of 31 Nations Across Seven World Regions», *Cyberpsychology, Behavior, and Social Networking* 17, n.º 12, 1 de diciembre de 2014, pp. 755-760, <https://doi.org/10.1089/cyber.2014.0317>.

6. Reimagina el disparador interno

1. Judson A. Brewer *et al.*, «Mindfulness Training for Smoking Cessation: Results from a Randomized Controlled Trial», *Drug and Alcohol Dependence* 119, n.º 1-2, diciembre de 2011, pp. 72-80, <https://doi.org/10.1016/j.drugalcdep.2011.05.027>.

2. Kelly McGonigal, *The Willpower Instinct: How Self-Control Works, Why It Matters, and What You Can Do to Get More of It*, Avery Publishing, Nueva York, 2011. [Hay trad. cast. de Núria Martí Pérez: *Autocontrol: cómo funciona la voluntad, por qué es tan importante y qué podemos hacer para mejorarla*, Urano, Madrid, 2012.]

3. «Riding the Wave: Using Mindfulness to Help Cope with Urge», *Portland Psychotherapy* (blog), 18 de noviembre de 2011, <https://portlandpsychotherapyclinic.com/2011/11/riding-wa ve-using-mindfulness-help-cope-urges/>.

4. Sarah Bowen y Alan Marlatt, «Surfing the Urge: Brief Mind-

fulness-Based Intervention for College Student Smokers», *Psychology of Addictive Behaviors* 23, n.º 4, diciembre de 2009, pp. 666-671, <https://doi.org/10.1037/a0017127>.

5. Oliver Burkeman, «If You Want to Have a Good Time, Ask a Buddhist», *The Guardian*, 17 de agosto de 2018, <www.theguardian.com/lifeandstyle/2018/aug/17/want-have-good-time-ask-a-buddhist>.

7. Reimagina la tarea

1. Ian Bogost, *Play Anything: The Pleasure of Limits, the Uses of Boredom, and the Secret of Games*, Basic Books, Nueva York, 2016, p. 19.

2. «The Cure for Boredom Is Curiosity. There Is No Cure for Curiosity», *Quote Investigator*, consultado el 4 de marzo de 2019, <https://quoteinvestigator.com/2015/11/01/cure/>.

8. Reimagina tu carácter

1. *Diccionario de la lengua de la RAE*, «carácter», sexta acepción, consultado el 28 de enero de 2025, <https://dle.rae.es/car%-C3%A1cter>. En el original se emplea la palabra *temperament*, definida como «naturaleza de una persona o animal, en especial en cuanto a cómo afecta de forma permanente a su conducta», *Oxford Dictionaries*, s.v. «temperament», consultado el 17 de agosto de 2018, <https://en.oxforddictionaries.com/definition/temperament>.

2. Roy F. Baumeister y John Tierney, *Willpower: Rediscovering the Greatest Human Strength*, 2.ª ed., Penguin, Nueva York, 2012.

3. M. T. Gailliot *et al.*, «Self-Control Relies on Glucose as a Limited Energy Source: Willpower Is More than a Metaphor»,

Journal of Personality and Social Psychology 92, n.º 2, febrero de 2007, pp. 325-336, <www.ncbi.nlm.nih.gov/pubmed/17279852>.

4. Evan C. Carter y Michael E. McCullough, «Publication Bias and the Limited Strength Model of Self-Control: Has the Evidence for Ego Depletion Been Overestimated?», *Frontiers in Psychology* 5, julio de 2014, <https://doi.org/10.3389/fpsyg.2014.00 823>.

5. Evan C. Carter *et al.*, «A Series of Meta-analytic Tests of the Depletion Effect: Self-Control Does Not Seem to Rely on a Limited Resource», *Journal of Experimental Psychology*, General 144, n.º 4, agosto de 2015, pp. 796-815, <https://doi .org/10.1037/ xge0000083>.

6. Rob Kurzban, «Glucose Is Not Willpower Fuel», Evolutionary Psychology, archivo del blog, consultado el 4 de febrero de 2018, <http://web.sas.upenn.edu/kurzbanepblog/2011/08/29/glu cose-is-not-willpower-fuel/>; Miguel A. Vadillo, Natalie Gold y Magda Osman, «The Bitter Truth About Sugar and Willpower: The Limited Evidential Value of the Glucose Model of Ego Depletion», *Psychological Science* 27, n.º 9, 1 de septiembre de 2016, pp. 1207-1214, <https://doi.org/10.1177/0956797616654911>.

7. Veronika Job *et al.*, «Beliefs About Willpower Determine the Impact of Glucose on Self-Control», *Proceedings of the National Academy of Sciences* 110, n.º 37, 10 de septiembre de 2013, pp. 14837-14842, <https://doi.org/10.1073/pnas.1313475110>.

8. «Research», en la página web oficial de Michael Inzlicht, consultada el 4 de febrero de 2018, <http://michaelinzlicht.com/ research/>.

9. «Craving Beliefs Questionnaire», consultado el 17 de agosto de 2018, <https://drive.google.com/a/nireyal.com/file/d/ 0B0Q6Jkc_9z2DaHJaTndPMVVkY1E/view?usp=drive_open& usp=embed_facebook>.

10. Nicole K. Lee *et al.*, «It's the Thought That Counts: Craving Metacognitions and Their Role in Abstinence from Metham-

phetamine Use», *Journal of Substance Abuse Treatment* 38, n.º 3, abril de 2010, pp. 245-250, <https://doi.org/10.1016/j.jsat.2009.12.006>.

11. Elizabeth Nosen y Sheila R. Woody, «Acceptance of Cravings: How Smoking Cessation Experiences Affect Craving Belief», *Behaviour Research and Therapy* 59, agosto de 2014, pp. 71-81, <https://doi.org/10.1016/j.brat.2014.05.003>.

12. Hakan Turkcapar *et al.*, «Beliefs as a Predictor of Relapse in Alcohol-Dependent Turkish Men», *Journal of Studies on Alcohol* 66, n.º 6, 1 de noviembre de 2005, pp. 848-851, <https://doi.org/10.15288/jsa.2005.66.848>.

13. Steve Matthews, Robyn Dwyer y Anke Snoek, «Stigma and Self-Stigma in Addiction», *Journal of Bioethical Inquiry* 14, n.º 2, 2017, pp. 275-286, <https://doi.org/10.1007/s11673-017-9784-y>.

14. Ulli Zessin, Oliver Dickhäuser y Sven Garbade, «The Relationship Between Self-Compassion and Well-Being: A Meta-analysis», *Applied Psychology, Health and Well-Being* 7, n.º 3, noviembre de 2015, pp. 340-364, <https://doi.org/10.1111/aphw.12051>.

15. Denise Winterman, «Rumination: The Danger of Dwelling», *BBC News*, 17 de octubre de 2013, <www.bbc.com/news/magazine-24444431>.

9. Convierte tus valores en tiempo

1. Lucius Annaeus Seneca, *On the Shortness of Life*, traducido al inglés por C. D. N. Costa, Penguin, Nueva York, 2005.

2. Saritha Kuruvilla, «A Study of Calendar Usage in the Workplace», *Promotional Products Association International*, 2011, consultado el 31 de enero de 2018, <http://static.ppai.org/documents/business%20study%20final%20report%20version%204.pdf>.

3. Russ Harris y Steven Hayes, *The Happiness Trap: How to Stop Struggling and Start Living,* Trumpeter Books, Boston, 2008, p. 167. [Hay trad. cast. de Gema Moraleda: *La trampa de la felicidad: libérate de la ansiedad, empieza a vivir,* Planeta, Barcelona, 2022.]

4. Massimo Pigliucci, «When I Help You, I Also Help Myself: On Being a Cosmopolitan», *Aeon,* 17 de noviembre de 2017, <https://aeon.co/ideas/when-i-help-you-i-also-help-myself-on-being-a-cosmopolitan>.

5. Scott Barry Kaufman, «Does Creativity Require Constraints?», *Psychology Today,* 30 de agosto de 2011, <www.psycholo gytoday.com/blog/beautiful-minds/201108/does-creativity-requi re-constraints>.

6. P. M. Gollwitzer, «Implementation Intentions: Strong Effects of Simple Plans», *American Psychologist* 54, n.° 7, julio de 1999, pp. 493-503, <https://dx.doi.org/10.1037/0003-066X.54.7.493>.

10. Controla lo que haces, no el resultado

1. Lynne Lamberg, «Adults Need 7 or More Hours of Sleep Every Night», *Psychiatric News,* 17 de septiembre de 2015, <https://psychnews.psychiatryonline.org/doi/10.1176/appi.pn.2015.9b12>.

2. «What Causes Insomnia?», National Sleep Foundation, consultado el 11 de septiembre de 2018, <https://sleepfoundation.org/insomnia/content/what-causes-insomnia>.

11. Programa las relaciones importantes

1. David S. Pedulla y Sarah Thébaud, «Can We Finish the Revolution? Gender, Work-Family Ideals, and Institutional Constraint», *American Sociological Review* 80, n.° 1, 1 de febrero de 2015, pp. 116-139, <https://doi.org/10.1177/0003122414564008>.

2. Darcy Lockman, Darcy, «Analysis: Where Do Kids Learn to Undervalue Women? From Their Parents». *The Washington Post*, 10 de noviembre de 2017, sección Outlook, <https://www. washingtonpost.com/outlook/where-do-kids-learn-to-underva lue-women-from-their-parents/2017/11/10/724518b2-c439-11e7-afe9-4f60b5a6c4a0_story.html>.

3. George E. Vaillant, Xing-jia Cui, y Stephen Soldz, «The Study of Adult Development», *Harvard Department of Psychiatry*, consultado el 9 de noviembre de 2017, <www.adultdevelopments-tudy.org>.

4. Robert Waldinger, «The Good Life», charla TEDx en TEDxBeaconStreet, 30 de noviembre de 2015, minuto 15.03, <www.youtube.com/watch?v=q-7zAkwAOYg>.

5. Julie Beck, «How Friendships Change in Adulthood», *The Atlantic*, 22 de octubre de 2015, <www.theatlantic.com/health/archive/2015/10/how-friendships-change-over-time-in-adult hood/411466/>.

12. Sincronízate con las demás partes interesadas en el trabajo

1. «Neverfail Mobile Messaging Trends Study Finds 83 Percent of Users Admit to Using a Smartphone to Check Work Email After Hours», *Neverfail* vía PRNewswire, 22 de noviembre de 2011, <www.prnewswire.com/news-releases/neverfail-mobile-mes saging-trends-study-finds-83-percent-of-users-admit-to-using-a-smartphone-to-check-work-email -after-hours-134314168.html>.

2. Marianna Virtanen *et al.*, «Long Working Hours and Cognitive Function: The Whitehall II Study», *American Journal of Epidemiology*, 169, n.º 5, marzo de 2009, pp. 596-605, <http://dx.doi.org/10.1093/aje/kwn382>.

13. Plantea la pregunta decisiva

1. Wendy en una entrevista con el autor, enero de 2018.

2. Mike Allen, «Sean Parker Unloads on Facebook: "God Only Knows What It's Doing to Our Children's Brains"», *Axios*, 9 de noviembre de 2017, <www.axios.com/sean-parker-unloads-on-facebook-2508036343.html>.

3. Edward L. Deci y Richard M. Ryan, «Self-Determination Theory: A Macrotheory of Human Motivation, Development, and Health», *Canadian Psychology/Psychologie Canadienne* 49, n.º 3, 2008, pp. 182-185, <https://doi.org/10.1037/a0012801>.

4. David Pierce, «Turn Off Your Push Notifications. All of Them», *Wired*, 23 de julio de 2017, <www.wired.com/story/turn-off-your-push-notifications/>.

5. Gloria Mark, Daniela Gudith, y Ulrich Klocke, «The Cost of Interrupted Work: More Speed and Stress», UC Donald Bren School of Information & Computer Sciences, consultado el 20 de febrero de 2018, <www.ics.uci.edu/~gmark/chi08-mark.pdf>.

6. C. Stothart, A. Mitchum y C. Yehnert, «The Attentional Cost of Receiving a Cell Phone Notification», *Journal of Experimental Psychology: Human Perception and Performance* 41, n.º 4, agosto de 2015, pp. 893-897, <http://dx.doi.org/10.1037/xhp0000100>.

7. Lori A. J. Scott-Sheldon *et al.*, «Text Messaging-Based Interventions for Smoking Cessation: A Systematic Review and Meta-analysis», *JMIR mHealth and uHealth* 4, n.º 2, 20 de mayo de 2016, e49, <https://doi.org/10.2196/mhealth.5436>.

8. «Study Reveals Success of Text Messaging in Helping Smokers Quit: Text Messaging Interventions to Help Smokers Quit Should Be a Public Health Priority, Study Says», *ScienceDaily*, consultado el 27 de noviembre de 2017, <www.sciencedaily.com/releases/2016/05/160523141214.htm>.

14. Manipula a tu favor las interrupciones en el trabajo

1. Institute of Medicine, *Preventing Medication Errors: Consensus Study Report*, Philip Aspden (ed.) *et al.*, National Academies Press, Washington D. C., 2007, <https://doi.org/10.17226/11623>.

2. Maggie Fox y Lauren Dunn, «Could Medical Errors Be the No. 3 Cause of Death?», *NBC News*, 4 de mayo de 2016, <www.nbcnews.com/health/health-care/could-medical-errors-be-no-3-cause-death-america-n568031>.

3. Victoria Colliver, «Prescription for Success: Don't Bother Nurses», *SFGate*, 28 de octubre de 2009, <www.sfgate.com/health/article/Prescription-for-success-Don-t-bother-nurses-3282968.php>.

4. Debra Wood, «Decreasing Disruptions Reduces Medication Errors», *RN.com*, consultado el 8 de diciembre de 2017, <www.rn.com/Pages/ResourceDetails.aspx?id=3369>.

5. Innovation Consultancy, «Sanctifying Medication Administration», *KP MedRite*, consultado el 10 de octubre de 2018, <https://xnet.kp.org/innovationconsultancy/kpmedrite.html>.

6. Victoria Colliver, «Prescription for Success: Don't Bother Nurses», *SFGate*, 28 de octubre de 2009, <www.sfgate.com/health/article/Prescription-for-success-Don-t-bother-nurses-3282968.php>.

7. «Code of Federal Regulations: Part 121 Operating Requirements: Domestic, Flag, and Supplemental Operations», Federal Aviation Administration, consultado el 8 de diciembre de 2017, <http://rgl.faa.gov/Regulatory_and_Guidance_Library/rgFAR.nsf/0/7027DA4135C34E2086257CBA004BF853?OpenDocument&Highlight =121.542>.

8. Nick Fountain y Stacy Vanek Smith, «Episode 704: Open Office», en *Planet Money*, 8 de agosto de 2018, <www.npr.org/sections/money/2018/08/08/636668862/episode-704-open-office>.

9. Yousef Alhorr *et al.*, «Occupant Productivity and Office Indoor Environment Quality: A Review of the Literature», *Building and Environment* 105, 15 de agosto de 2016, pp. 369-389, <https://doi.org/10.1016/j.buildenv.2016.06.001>.

10. Jeffrey Joseph, «Do Open/Collaborative Work Environments Increase, Decrease or Tend to Keep Employee Satisfaction Neutral?», Cornell University ILR School Digital Commons, primavera de 2016, <https://digitalcommons.ilr.cornell.edu/cgi/viewcontent.cgi?referer=https://www.google.ca/&httpsredir=1&article=1098&context=student>.

15. Manipula a tu favor el correo electrónico

1. Sara Radicati (ed.), *Email Statistics Report 2014-2018*, Radicati Group, Palo Alto, 2014, <www.radicati.com/wp/wp-content/uploads/2014/01/Email-Statistics-Report-2014-2018-Executive-Summary.pdf>.

2. Thomas Jackson, Ray Dawson, y Darren Wilson, «Reducing the Effect of Email Interruptions on Employees», *International Journal of Information Management* 23, n.º 1, febrero de 2023, pp. 55-65, <https://doi.org/10.1016/S0268-4012(02)00068-3>.

3. Michael Mankins, «Why the French Email Law Won't Restore Work-Life Balance», *Harvard Business Review*, 6 de enero de 2017, <https://hbr.org/2017/01/why-the-french-email-law-wont-restore-work-life-balance>.

4. Sam McLeod, «Skinner–Operant Conditioning», *Simply Psychology*, 21 de enero de 2018, <www.simplypsychology.org/operant-conditioning.html>.

5. «Delay or Schedule Sending Email Messages», Microsoft Office Support, <https://support.office.com/en-us/article/delay-or-schedule-sending-email-messages-026af69f-c287-490a-a72f-6c65793744ba>.

6. <www.sanebox.com/>.
7. Kostadin Kushlev y Elizabeth W. Dunn, «Checking Email Less Frequently Reduces Stress», *Computers in Human Behavior* 43, 1 de febrero de 2015, pp. 220-228, <https://doi.org/10.1016/j. chb.2014.11.005>.

16. Manipula a tu favor los grupos de mensajería instantánea

1. Jason Fried, «Is Group Chat Making You Sweat?», *Signal v. Noise*, 7 de marzo de 2016, <https://m.signalvnoise.com/is-group-chat-making-you-sweat>.
2. Jason Fried, «Is Group Chat Making You Sweat?», *Signal v. Noise*, 16 de marzo de 2016, <https://m.signalvnoise.com/is-group-chat-making-you-sweat>.

17. Manipula a tu favor las reuniones

1. *The Year Without Pants: Wordpress.com and the Future of Work*, Jossey-Bass, San Francisco, 2013, p. 42.
2. Catherine D. Middlebrooks, Tyson Kerr y Alan D. Castel, «Selectively Distracted: Divided Attention and Memory for Important Information», *Psychological Science* 28, n.º 8, agosto de 2017, pp. 1103-1115, <https://doi.org/10.1177/0956797617702502>; Larry Rosen y Alexandra Samuel, «Conquering Digital Distraction», *Harvard Business Review*, 1 de junio de 2015, <https://hbr.org/2015/06/conquering-digital-distraction>.

18. Manipula a tu favor tu *smartphone*

1. «Principles of Drug Addiction Treatment: A Research-Based Guide (Third Edition)», National Institute on Drug Abuse, 17 de enero de 2018, <https://www.drugabuse.gov/publications/principles-drug-addiction-treatment-research-based-guide-third-edition>.

2. Tony Stubblebine, «How to Configure Your Cell Phone for Productivity and Focus», *Better Humans*, 24 de agosto de 2017, <https://betterhumans.coach.me/how-to-configure-your-cell-phone-for-productivity-and-focus-1e8bd8fc9e8d>.

3. David Pierce, «Turn Off Your Push Notifications. All of Them», *Wired*, 23 de julio de 2017, <www.wired.com/story/turn-off-your-push-notifications/>.

4. «How to Use Do Not Disturb While Driving», Apple Support, consultado el 5 de diciembre de 2017, <https://support.apple.com/en-us/HT208090>.

19. Manipula a tu favor tu escritorio

1. Stephanie McMains y Sabine Kastner, «Interactions of Top-Down and Bottom-Up Mechanisms in Human Visual Cortex», *Journal of Neuroscience* 31, n.° 2, 12 de enero de 2011, pp. 587-597, <https://doi.org/10.1523/JNEUROSCI.3766-10.2011>.

2. Marketta Niemelä y Pertti Saariluoma, «Layout Attributes and Recall», *Behaviour & Information Technology* 22, n.° 5, 1 de septiembre de 2003, pp. 353-363, <https://doi .org/10.1080/0144929 031000156924>.

3. Sophie Leroy, «Why Is It So Hard to Do My Work? The Challenge of Attention Residue When Switching Between Work Tasks», *Organizational Behavior and Human Decision Processes* 109,

n.º 2, 1 de julio de 2009, pp. 168-181, <https://doi.org/10.1016/j.
obhdp.2009.04.002>.

20. Manipula a tu favor los artículos en línea

1. <https://getpocket.com/>.
2. Claudia Wallis, «GenM: The Multitasking Generation»,
Time, 27 de marzo de 2006, <http://content.time.com/time/maga
zine/article/0,9171,1174696,00.html>.
3. B. Rapp y S. K. Hendel, «Principles of Cross-Modal Com-
petition: Evidence from Deficits of Attention», *Psychonomic Bulletin & Review* 10, n.º 1, 2003, pp. 210-219.
4. Katherine L. Milkman, Julia A. Minson y Kevin G. M. Volpp,
«Holding the Hunger Games Hostage at the Gym: An Evaluation
of Temptation Bundling», *Management Science* 60, n.º 2, febrero de
2014, pp. 283-299, <https://doi.org/10.1287/mnsc.2013.1784>.
5. Brett Tomlinson, «Behave!», *Princeton Alumni Weekly*,
26 de octubre de 2016, <https://paw.princeton.edu/article/beha
ve-katherine-milkman-04-studies-why-we-do-what-we-do-and-
how-change-it>.

21. Manipula a tu favor los *feeds* de redes sociales

1. T. C. Sottek, «Kill the Facebook News Feed», *The Verge*,
23 de mayo de 2014, <www.theverge.com/2014/5/23/5744518/kill-
the-facebook-news-feed>.
2. Freia Lobo, «This Chrome Extension Makes Your Facebook
Addiction Productive», *Mashable*, 10 de enero de 2017, <http://mas
hable.com/2017/01/10/todobook-chrome-extension/>.
3. <https://chrome.google.com/webstore/detail/newsfeed-
burner/gdjcjcbjnaelafcijbnceapahcgkpjkl>.

4. <https://chrome.google.com/webstore/detail/open-multi ple-websites/chebdlgebkhbmkeanhkgfojjaofeihgm>.

5. Nir Eyal, *Hooked: How to Build Habit-Forming Products*, Port-folio, Nueva York, 2014,

6. <https://chrome.google.com/webstore/detail/df-tube-dis traction-<free/mjdepdfccjgcndkmemponafgioodelna?hl=en>.

22. El poder de los compromisos previos

1. Lev Grossman, «Jonathan Franzen: Great American Novel-ist», *Time*, 12 de agosto de 2010, <http://content.time.com/time/magazine/article/0,9171,2010185-1,00.html>.

2. Iain Blair, «Tarantino Says Horror Movies Are Fun», Reu-ters, 5 de abril de 2007, <www.reuters.com/article/us-tarantino/tarantino-says-horror-movies-are-fun-idUSN2638212720070 405>.

3. Harper's Bazaar UK, «Booker Prize Nominated Jhumpa Lahiri on India, Being a Mother and Being Inspired by the Ocean», *Harper's Bazaar*, 4 de octubre de 2013, <www. harpersbazaar.com/uk/culture/staying-in/news/a20300/booker-prize-nominated-jhumpa-lahiri-on-india-being-a-mother-and-being-inspired-by-the-ocean>.

4. Zeb Kurth-Nelson y A. David Redish, «Don't Let Me Do That!–Models of Precommitment», *Frontiers in Neuroscience* 6, n.º 138, 2012, <https://doi.org/10.3389/fnins.2012.00138>.

5. Wikipedia, s.v. «Ulysses pact», consultado el 11 de febrero de 2017, <https://en.wikipedia.org/w/index.php?title=Ulysses_ pact&oldid=764886941>.

23. Evita las distracciones mediante compromisos de esfuerzo

1. <www.amazon.com/Kitchen-Safe-Locking-Contaner-Height/dp/B00JGFQTD2>.

2. <https://selfcontrolapp.com/>.

3. <www.forestapp.cc/>.

4. «IOS 12 introduces new features to reduce interruptions and manage Screen Time», *Apple Newsroom*, 4 de junio de 2018, <www.apple.com/newsroom/2018/06/ios-12-introduces-new-fea tures-to-reduce-interruptions-and-manage-screen-time/>.

24. Evita las distracciones mediante compromisos económicos

1. Scott D. Halpern *et al.*, «Randomized Trial of Four Finan-cial-Incentive Programs for Smoking Cessation», *New England Journal of Medicine* 372, n.º 22, 2015, pp. 2108-2117, <https://doi.org/10.1056/NEJMoa1414293>.

25. Evita las distracciones mediante compromisos identitarios

1. Christopher J. Bryan *et al.*, «Motivating Voter Turnout by Invoking the Self», *Proceedings of the National Academy of Sciences* 108, n.º 31, 2011, pp. 12653-12656, <https://doi.org/10.1073/pnas.1103343108>.

2. Adam Gorlick, «Stanford Researchers Find That a Simple Change in Phrasing Can Increase Voter Turnout», *Stanford News*, 19 de julio de 2011, <http://news.stanford.edu/news/2011/july/in creasing-voter-turnout-071911.html>.

3. Christopher J. Bryan *et al.*, «Motivating Voter Turnout by Invoking the Self», *Proceedings of the National Academy of Sciences* 108, n.º 31, 2011, pp. 12653-12656, <https://doi.org/10.1073/pnas.1103343108>.

4. Vanessa M. Patrick y Henrik Hagtvedt, «"I Don't" Versus "I Can't": When Empowered Refusal Motivates Goal-Directed Behavior», *Journal of Consumer Research* 39, n.º 2, 2012, pp. 371-381, <https://doi.org/10.1086/663212>.

5. Leah Fessler, «Psychologists Have Surprising Advice for People Who Feel Unmotivated», *Quartz at Work*, 22 de agosto de 2018, <https://qz.com/work/1363911/two-psychologists-have-a-surprising-theory-on-how-to-get-motivated/>.

6. «Targeting Hypocrisy Promotes Safer Sex», *Stanford SPARQ*, consultado el 28 de septiembre de 2018, <https://sparq.stanford.edu/solutions/targeting-hypocrisy-promotes-safer-sex>.

7. Lauren Eskreis-Winkler y Ayelet Fishbach, «Need Motivation at Work? Try Giving Advice», *MIT Sloan Management Review* (blog), 13 de agosto de 2018, <https://sloanreview.mit.edu/article/need-motivation-at-work-try-giving-advice/>.

8. Allen Ding Tian *et al.*, «Enacting Rituals to Improve Self-Control», *Journal of Personality and Social Psychology* 114, n.º 6, 2018, pp. 851-876, <https://doi.org/10.1037/pspa0000113>.

9. Daryl J. Bem, «Self-Perception Theory», en *Advances in Experimental Social Psychology*, Leonard Berkowitz (ed.), vol. 6, Academic Press, Nueva York, 1972.

10. *The Principles of Psychology*, vol. 2, Henry Holt and Company, Nueva York, 1918, p. 370.

26. La distracción es señal de disfunción

1. Stephen Stansfeld y Bridget Candy, «Psychosocial Work Environment and Mental Health–a Meta-analytic Review», *Scan-*

dinavian Journal of Work, Environment & Health 32, n.º 6, 2006, pp. 443-462.

2. Stephen Stansfeld en una entrevista telefónica con el autor, 13 de febrero de 2018.

3. «Depression in The Workplace», *Mental Health America*, 1 de noviembre de 2013, <www.mentalhealthamerica.net/condi tions/depression-workplace>.

4. Leslie A. Perlow, *Sleeping with Your Smartphone: How to Break the 24/7 Habit and Change the Way You Work*, Harvard Business Review Press, Boston, 2012.

5. Leslie A. Perlow, *Sleeping with Your Smartphone: How to Break the 24/7 Habit and Change the Way You Work*, Harvard Business Review Press, Boston, 2012, los corchetes son del original.

27. Corregir las distracciones pone a prueba la cultura empresarial

1. Leslie A. Perlow, *Sleeping with Your Smartphone: How to Break the 24/7 Habit and Change the Way You Work*, Harvard Business Review Press, Boston, 2012.

2. Amy Edmondson, «Building a Psychologically Safe Workplace», charla TEDx en TEDxHGSE, 4 de mayo de 2014, <www.youtube.com/watch?time_continue=231&v=LhoLuui9gX8>.

3. Amy Edmondson, «Building a Psychologically Safe Workplace», charla TEDx en TEDxHGSE, 4 de mayo de 2014, <www.youtube.com/watch?time_continue=231&v=LhoLuui9gX8>.

28. El lugar de trabajo inmune a la distracción

1. Slack Team, «With 10+ Million Daily Active Users, Slack Is Where More Work Happens Every Day, All over the World»,

Slack (blog), consultado el 22 de marzo de 2019, <https://slackhq. com/slack-has-10-million-daily-active-users>.

2. Jeff Bercovici, «Slack Is Our Company of the Year. Here's Why Everybody's Talking About It», *Inc.*, 23 de noviembre de 2015, <www.inc.com/magazine/201512/jeff-bercovici/slack-com pany-of-the-year-2015.html>.

3. Casey Renner, «Former Slack CMO, Bill Macaitis, on How Slack Uses Slack», *OpenView Labs*, 19 de mayo de 2017, <https:// labs.openviewpartners.com/how-slack-uses-slack/>.

4. Boston Consulting Group Overview en *Glassdoor*, consultado el 12 de febrero de 2018, <www.glassdoor.com/Overview/ Working-at-Boston-Consulting-Group-EI_IE3879.11,34. htm>.

5. Valoraciones de Slack en *Glassdoor*, consultado el 12 de febrero de 2018, <www.glassdoor.com/Reviews/slack-reviews-SRCH_KE0,5.htm>.

29. Evita las excusas cómodas

1. Jean M. Twenge, «Have Smartphones Destroyed a Generation?», *The Atlantic*, septiembre de 2017, <www.theatlantic.com/ magazine/archive/2017/09/has-the-smartphone-destroyed-a-ge neration/534198/>.

2. Lulu Garcia-Navarro, «The Risk of Teen Depression and Suicide Is Linked to Smartphone Use, Study Says», *NPR Mental Health*, 17 de diciembre de 2017, <www.npr.org/2017/12/17/ 571443683/the-call-in-teens-and -depression>.

3. Jean M. Twenge, «Have Smartphones Destroyed a Generation?», *The Atlantic*, septiembre de 2017, <www.theatlantic. com/magazine/archive/2017/09/has-the-smartphone-destroyed-a-generation/534198/>.

4. Búsqueda en YouTube: «dad destroys kids phone», consul-

tado el 23 de julio de 2018, <www.youtube.com/results?search_query=dad+destroys+kids+phone>.

5. Alice Schlegel y Herbert Barry III, *Adolescence: An Anthropological Inquiry*, Free Press, Nueva York, 1991.

6. Robert Epstein, «The Myth of the Teen Brain», *Scientific American*, 1 de junio de 2007, <www.scientificamerican.com/article/the-myth-of-the-teen-brain-2007-06/>.

7. Richard McSherry, «Suicide and Homicide Under Insidious Forms», *Sanitarian*, 26 de abril de 1883.

8. W. W. J., reseña de *Children and Radio Programs: A Study of More than Three Thousand Children in the New York Metropolitan Area*, de Azriel L. Eisenberg, *Gramophone*, septiembre de 1936, <https://reader.exacteditions.com/issues/32669/page/31?term=crime>.

9. Abigail Wills, «Youth Culture and Crime: What Can We Learn from History?», *History Extra*, 12 de agosto de 2009, <www.historyextra.com/period/20th-century/youth-culture-and-crime-what-can-we-learn-from-history/>.

10. «No, Smartphones Are Not Destroying a Generation», *Psychology Today*, 6 de agosto de 2017, <www.psychologytoday.com/blog/once-more-feeling/201708/no-smartphones-are-not-destroying-generation>.

11. «More Screen Time for Kids Isn't All That Bad: Researcher Says Children Should Be Allowed to Delve into Screen Technology, as It Is Becoming an Essential Part of Modern Life», *ScienceDaily*, 7 de febrero de 2017, <www.sciencedaily.com/releases/2017/02/170207105326.htm>.

12. Andrew K. Przybylski y Netta Weinstein, «A Large-Scale Test of the Goldilocks Hypothesis: Quantifying the Relations Between Digital-Screen Use and the Mental Well-Being of Adolescents», *Psychological Science* 28, n.º 2, 13 de enero de 2017, pp. 204-215, <https://journals.sagepub.com/doi/10.1177/0956797616678438>.

13. Tom Chivers, «It Turns Out Staring at Screens Isn't Bad for Teens' Mental Wellbeing», *Buzzfeed*, 14 de enero de 2017, <www.buzzfeed.com/tomchivers/mario-kart-should-be-available-on-the-nhs>.

30. Entiende sus disparadores internos

1. Richard M. Ryan y Edward L. Deci, «Self-Determination Theory and the Facilitation of Intrinsic Motivation, Social Development, and Well-Being», *American Psychologist* 55, n.º 1, enero de 2000, pp. 68-78, <https://dx.doi.org/10.1037/0003-066X.55.1.68>.

2. Maricela Correa-Chávez y Barbara Rogoff, «Children's Attention to Interactions Directed to Others: Guatemalan Mayan and European American Patterns», *Developmental Psychology* 45, n.º 3, mayo de 2009, pp. 630-641, <https://doi.org/10.1037/a0014144>.

3. Michaeleen Doucleff, «A Lost Secret: How to Get Kids to Pay Attention», NPR, 21 de junio de 2018, <www.npr.org/sections/goatsandsoda/2018/06/21/621752789/a-lost-secret-how-to-get-kids-to-pay-attention>.

4. Doucleff, «A Lost Secret».

5. Entrevista de Richard Ryan con un ayudante de la investigación, mayo de 2017.

6. Robert Epstein, «The Myth of the Teen Brain», *Scientific American*, 1 de junio de 2007, <www.scientificamerican.com/article/the-myth-of-the-teen-brain-2007-06/>.

7. Entrevista con Ryan, mayo de 2017.

8. Peter Gray, «The Decline of Play and the Rise of Psychopathy in Children and Adolescents», *American Journal of Play* 3, n.º 4, primavera de 2011, pp. 443-463.

9. Esther Entin, «All Work and No Play: Why Your Kids Are

More Anxious, Depressed», *The Atlantic*, 12 de octubre de 2011, <www.theatlantic.com/health/archive/2011/10/all-work-and-no-play-why-your-kids-are-more-anxious-depressed/246422/>.

10. Christopher Ingraham, «There's Never Been a Safer Time to Be a Kid in America», *The Washington Post*, 14 de abril de 2015, <www.washingtonpost.com/news/wonk/wp/2015/04/14/the res-never-been-a-safer-time-to-be-a-kid-in-america/>.

11. Entrevista con Richard M. Ryan, mayo de 2017.

12. Peter Gray, «The Decline of Play and the Rise of Psychopathy in Children and Adolescents», *American Journal of Play* 3, n.º 4, primavera de 2011, pp. 443-463.

13. Entrevista con Ryan, mayo de 2017.

14. Richard M. Ryan y Edward L. Deci, *Self-Determination Theory: Basic Psychological Needs in Motivation, Development, and Wellness*, Guilford Publications, Nueva York, 2017, p. 524.

31. Reserva tiempo para la tracción juntos

1. Entrevista de un colaborador en la investigación con Lori Getz y su familia, mayo de 2017.

2. Anne Fishel, «The Most Important Thing You Can Do with Your Kids? Eat Dinner with Them», *The Washington Post*, 12 de enero de 2015, <www.washingtonpost.com/posteverything/wp/2015/01/12/the-most-important-thing-you-can-do-with-your-kids-eat-dinner-with-them/>.

32. Ayúdalos con los disparadores externos

1. Monica Anderson y Jingjing Jiang, «Teens, Social Media & Technology 2018», Pew Research Center, 31 de mayo de 2018, <www.pewinternet.org/2018/05/31/teens-social-media-technology-2018/>.

2. «Mobile Kids: The Parent, the Child and the Smartphone», *Nielsen Newswire*, 28 de febrero de 2017, <www.nielsen.com/us/en/insights/news/2017/mobile-kids-the-parent-the-child-and-the-smartphone.html>.

3. AIEK/AEKU X8 Ultra Thin Card Mobile Phone Mini Pocket Students Phone, Aliexpress, consultado el 12 de enero de 2019, <www.aliexpress.com/item/New-AIEK-AEKU-X8-Ultra-Thin-Card-Mobile-Phone-Mini-Pocket-Students-Phone-Low-Radiation-Support/32799743043.html>.

4. Joshua Goldman, «Verizon's $180 GizmoWatch Lets Parents Track Kids' Location and Activity», *CNET*, 20 de septiembre de 2018, <www.cnet.com/news/verizons-180-gizmowatch-lets-parents-track-kids-location-activity/>.

5. Anya Kamenetz, *The Art of Screen Time: How Your Family Can Balance Digital Media and Real Life*, PublicAffairs, Nueva York, 2018.

34. Dispersa anticuerpos sociales entre tus amistades

1. Nicholas A. Christakis y James H. Fowler, «Social Contagion Theory: Examining Dynamic Social Networks and Human Behavior», *Statistics in Medicine* 32, n.º 4, 20 de febrero de 2013, pp. 556-577, <https://doi.org/10.1002/sim.5408>.

2. Kelly Servick, «Should We Treat Obesity like a Contagious Disease?», *Science*, 19 de febrero de 2017, <www.sciencemag.org/news/2017/02/should-we-treat-obesity-contagious-disease>.

3. Paul Graham, «The Acceleration of Addictiveness», julio de 2010, <www.paulgraham.com/addiction.html>.

4. «Trends in Current Cigarette Smoking Among High School Students and Adults, United States, 1965-2014», Centers for Disease Control and Prevention, consultado el 6 de diciembre de

2017, <www.cdc.gov/tobacco/data_statistics/tables/trends/cigsmoking/>.

5. McCann Paris, «Macquarie "Phubbing: A Word Is Born" // McCann Melbourne», 26 de junio de 2014, vídeo, minuto 2.27, <www.youtube.com/watch?v =hLNhKUniaEw>.

35. Sé inmune a la distracción en el amor

1. Rich Miller, «Give Up Sex or Your Mobile Phone? Third of Americans Forgo Sex», *Bloomberg*, 15 de enero de 2015, <www. bloomberg.com/news/articles/2015-01-15/give-up-sex-or-your-mobile-phone-third-of-americans-forgo-sex>.

2. Russell Heimlich, «Do You Sleep with Your Cell Phone?», Pew Research Center (blog), consultado el 15 de enero de 2019, <www.pewresearch.org/fact-tank/2010/09/13/do-you-sleep-with-your-cell-phone/>.

3. <https://eero.com>.

Guía para club de lectura de
Inmune a la distracción

Ha llegado el momento de juntarte con tus amistades para comentar lo que has aprendido en *Inmune a la distracción*. Estas preguntas están diseñadas para dar pie a una discusión exhaustiva e interesante sobre los temas mencionados en el libro. Invita a unos cuantos amigos a una charla informal sobre productividad, hábitos, valores, tecnología y disparadores, y permite que surja una animada conversación.

1. A lo largo del libro, Nir habla sobre la importancia de las tres esferas vitales: tú, tus relaciones y tu trabajo. A menudo, sin querer, dedicamos demasiado tiempo a una esfera vital a costa de las demás. ¿Qué esfera vital te gustaría mejorar y por qué?
2. *Inmune a la distracción* está lleno de datos interesantes y poco conocidos. ¿Hay algo que te haya hecho cambiar tu forma de pensar? ¿Qué te ha parecido más sorprendente?
3. Piensa en las distracciones que te impiden alcanzar tracción más a menudo. ¿Cuáles son tus tres disparadores internos más habituales? ¿Cuáles son tus

tres disparadores externos más habituales? Recuerda, los disparadores internos surgen del interior, mientras que los externos provienen de nuestro entorno.

4. La diversión y el juego pueden liberarnos de la incomodidad porque nos permiten reimaginar una tarea aparentemente aburrida y repetitiva. Piensa en algo que hagas de forma cotidiana en la vida o el trabajo que no sea muy interesante. ¿Cómo puedes reimaginar la tarea (o añadirle alguna limitación) para hacerla más interesante?

5. Nir presenta una opinión controvertida sobre las listas de tareas y dice que comportan muchos problemas. ¿Estás de acuerdo con esta afirmación? ¿Por qué?

6. Crear un frasco de la diversión sirvió a Nir para conseguir su objetivo de ser un padre más implicado con su hija pequeña. ¿Qué diez actividades serían imprescindibles en tu frasco de la diversión?

7. Alinear tu horario con tus valores es esencial para conseguir tracción. Imagina cómo sería la distribución del tiempo en un día ideal para ti. ¿A qué dedicarías tu tiempo? ¿Cómo convertirías tus valores en tiempo para ti, tus relaciones y tu trabajo?

8. Los valores no son objetivos sino guías para nuestras acciones. ¿Cuáles son los 3-5 valores más importantes para ti?

9. Algunos estudios han demostrado que los lugares de trabajo modernos y, en especial, las oficinas de planta abierta son una fuente constante de distracción. ¿Estás de acuerdo con esta afirmación?

10. La distracción en el trabajo es inevitable, incluso si trabajas desde casa. Cualquier cosa, desde los grupos de mensajería instantánea, hasta el correo electrónico, pasando por los móviles, puede desviar nuestro rumbo. ¿Cómo vas a lograr que trabajar sin interrupciones sea una prioridad en tu rutina diaria?

11. Hemos aprendido que nuestra identidad no es fija. Igual que los hábitos, podemos decidir cambiar nuestra identidad y comprometernos con una autoimagen más positiva. Elige unos pocos hábitos que haga tiempo que quieres cambiar y piensa en cómo podrías crearte una nueva identidad que te empodere y te lleve al éxito.

12. Nir escribe: «Las limitaciones nos proporcionan estructura, mientras que la nada nos atormenta con la tiranía del tener que decidir». Describe un ejemplo en el que las limitaciones te podrían proporcionar una estructura en términos positivos.

13. Cambiar un comportamiento es difícil, y las personas tienden a fracasar inevitablemente. Es vital saber cómo recuperarse de un fracaso. ¿Lo has hecho alguna vez?

14. Internet (redes sociales incluidas) puede ser un vórtice de contenido. ¿Qué hábitos te gustaría cultivar para mejorar tu relación actual con el contenido que consumes en línea?

15. Nir comparte una larga lista de algunos de sus trucos favoritos para luchar contra la distracción en línea (por ejemplo, eliminar el *feed* de noticias de Facebook y usar aplicaciones de productividad

como Forest). Comparte un truco que te haya ayudado a ser más eficiente y concentrarte más.

16. Según los investigadores, necesitamos tres nutrientes psicológicos para prosperar: autonomía, competencia y sentido de pertenencia. ¿Cuál de ellos es más importante para ti y por qué? ¿Cuál te falta?

17. Los avances tecnológicos tienden a generar miedo y pánico (piensa en coches autónomos, inteligencia artificial, realidad virtual e, incluso, redes sociales). ¿A qué crees que se debe?

18. Cuéntale al grupo algo que siempre te cueste llevar a cabo (ya sea ir al gimnasio o ceñirte a cualquier otra cosa que hayas planeado). ¿Qué puedes hacer de forma distinta para asegurarte de que harás lo que has dicho que harías siguiendo el modelo inmune a la distracción, que consta de cuatro partes?

19. Según una encuesta, un tercio de los estadounidenses preferiría dejar de practicar el sexo durante un año a dejar de tener acceso a su teléfono durante ese mismo periodo de tiempo. ¿Cuál de las dos cosas dejarías tú durante un año y por qué?

20. ¿Cuál es tu definición de llevar una vida inmune a la distracción?